Les Éditions du Boréal
4447, rue Saint-Denis
Montréal (Québec) H2J 2L2
www.editionsboreal.qc.ca

LA BELLE BÊTE

ŒUVRES DE MARIE-CLAIRE BLAIS

ROMANS

La Belle Bête, Boréal, coll. « Boréal compact », 1991.

Tête blanche, Boréal, coll. « Boréal compact », 1991.

Le jour est noir suivi de *L'Insoumise*, Boréal, coll. « Boréal compact », 1990.

Une saison dans la vie d'Emmanuel, Boréal, coll. « Boréal compact », 1991.

David Sterne, Boréal, coll. « Boréal compact », 1999.

Manuscrits de Pauline Archange, Boréal, coll. « Boréal compact », 1991.

Vivre! Vivre!, tome II des *Manuscrits de Pauline Archange*, Boréal, coll. « Boréal compact », 1991.

Les Apparences, tome III des *Manuscrits de Pauline Archange*, Éditions du Jour, 1970 ; Boréal, coll. « Boréal compact », 1991.

Le Loup, Boréal, coll. « Boréal compact », 1990.

Un Joualonais sa Joualonie, Boréal, coll. « Boréal compact », 1999.

Une liaison parisienne, Boréal, coll. « Boréal compact », 1991.

Les Nuits de l'Underground, Boréal, coll. « Boréal compact », 1990.

Le Sourd dans la ville, Boréal, coll. « Boréal compact », 1996.

Visions d'Anna, Boréal, coll. « Boréal compact », 1990.

Pierre – La Guerre du printemps 81, Boréal, coll. « Boréal compact », 1991.

L'Ange de la solitude, VLB éditeur, 1989.

Soifs, Boréal, 1995 ; coll. « Boréal compact », 1996.

Dans la foudre et la lumière, Boréal, 2001.

TEXTES RADIOPHONIQUES

Textes radiophoniques, Boréal, coll. « Boréal compact », 1999.

THÉÂTRE

Théâtre, Boréal, coll. « Boréal compact », 1998.

RÉCITS

Parcours d'un écrivain, notes américaines, VLB éditeur, 1993.

L'Exilé, nouvelles, suivi de *Les Voyageurs sacrés*, BQ, 1992.

POÉSIE

Œuvre poétique, 1957-1996, Boréal, coll. « Boréal compact », 1997.

Marie-Claire Blais

LA BELLE BÊTE

roman

Boréal

Les Éditions du Boréal remercient le Conseil des Arts du Canada
ainsi que le ministère du Patrimoine canadien et la SODEC
pour leur soutien financier.

Illustration de la couverture : Hono Lulu

© 1991 Les Éditions du Boréal
Dépôt légal : 2ᵉ trimestre 1991
Bibliothèque nationale du Québec

Diffusion au Canada : Dimedia

Données de catalogage avant publication (Canada)

Blais, Marie-Claire, 1939

    La Belle Bête

    (Boréal compact : 31)
    Éd. originale : Québec : Institut littéraire du Québec, c1959.

    ISBN 2-89052-409-4

    I. Titre.

PS8503.L33B44   1991   C843'.54   C91-096505-6

PS9503.L33B44   1991

PQ3919.2.B52B44   1991

PREMIÈRE PARTIE

«Des créatures d'épouvante qui ne se recroquevilleront pas, inoffensives à la lumière du jour, pour retomber dans la mixture du jour, d'où elles sont sorties, mais qui vont s'enfler et devenir des monstres... dont personne n'a jamais rêvé, dont personne n'a jamais su que faire, des monstres destructeurs qui vivent à jamais.»

Rosamond LEHMAN

I

Le train sortait de la ville. Tête renversée sur l'épaule de sa mère, Patrice suivait mélancoliquement le paysage taché. Tout se mêlait derrière son front comme l'envers d'une tempête au cinéma. Patrice ne comprenait pas, mais il regardait, silencieux, son visage d'idiot pourtant si éblouissant qu'il faisait croire au génie. Sa mère lui caressait la nuque de sa main ouverte. En glissant son poignet trop souple elle pouvait plonger la tête de Patrice dans son sein et mieux écouter son souffle.

De l'autre côté, distante, immobile, sa fille Isabelle-Marie se serrait contre la fenêtre, le visage dur. Louise pensait souvent: «Isabelle-Marie n'a jamais eu un vrai visage d'enfant... Tandis que Patrice... Ah! Patrice!»

Isabelle-Marie avait seize ans. Elle était grande et décharnée: ses yeux inquiétants souvent

étincelaient de colère sous ses noirs sourcils.
Quand elle se renfrognait, le bas de son visage
s'amincissait, sauvagement méprisant. On en avait
presque peur.

Sa mère, Louise, riche propriétaire de fermes,
se détournait d'elle pour mieux consacrer sa vie à
Patrice. Louise avait confiance en elle-même, on
le devinait, et par-dessus tout, une fétichiste confiance en la beauté de Patrice.

Des banquettes voisines, les quelques voyageurs regardaient son fils. Las de ne pas savoir à
quoi penser, l'enfant s'endormit mollement, une
larme de sueur au front. Du doigt, Louise essuya
cette larme et sourit de vanité en songeant que la
beauté de son fils devenait de plus en plus conqué-
rante, jusqu'à distraire les regards les plus froids.

«Patrice... Le Superbe!»

Au même moment, Isabelle-Marie pensa:
«Patrice, l'Idiot!»

Patrice, indifférent à l'entourage, se serrait
contre sa mère, ses larges yeux verts tombés en
pleine nuit. Les cils, sur les joues l'une plus émue
que l'autre, frémissaient. Le front était blanc, intact, doux comme un flanc de cygne. Les lèvres
nues roulaient sans se tendre. Jamais n'apparais-
sait un goût de vie sur ces lèvres. Des lèvres de
mort. Isabelle-Marie le fixa sournoisement: «Une
Belle Bête!» murmura-t-elle entre ses dents.

Louise ne s'interrogeait pas au sujet de l'intelligence de cet Adonis enfant. Il parlait peu et ce mutisme lui paraissait comme le silence des dieux.

Sa beauté extraordinaire suffisait à la combler. Mais Patrice était un idiot. Isabelle-Marie savait que sous ce pâle visage il y avait le lourd assoupissement de l'intelligence, la léthargie des cerveaux qui ne vivent pas. «Comme il doit faire froid derrière sa peau», pensait-elle — et elle avait honte de le voir dormir, sans trouble, protégé par l'épaule maternelle, tandis que le regard de sa mère, toute cette femme, s'appuyait sur cette seule et fragile beauté.

Les voyageurs ne cessaient d'observer Patrice. Isabelle-Marie se mit à rougir. Elle avait la nausée. Peu à peu elle ne voyait plus rien au dehors. Un étrange goût de mourir la saisit. Elle se leva, s'avança, s'appliqua contre la fenêtre et sa joue meurtrie frissonna. Maladroite, afin de dissimuler ses tremblements, Isabelle-Marie grattait la vitre avec ses ongles, cherchait à entamer le verre... Louise ne la voyait pas. Jamais Louise n'osait la regarder vraiment. Isabelle-Marie cacha son front dans ses mains:

— Mère, j'ai la fièvre.

Étourdie, physiquement effrayée par l'entourage, elle entendit une dame s'écrier tout à coup:

— Quel bel enfant vous avez!

Et Louise, la voix assouvie de Louise:

— N'est-ce pas?

Isabelle-Marie s'évanouissait.

Quand elle se réveilla, on arrivait. Les voyageurs, ce qui la consolait, avaient déjà oublié la beauté de son frère. Ils marchaient vers la sortie, se hâtaient sans s'occuper les uns des autres. Isabelle-Marie renaissait à sa respiration. Le sang réchauffa ses jambes, elle éprouva une nouvelle souplesse dans tout son être, un désir fou d'éclater de rire après la déchirure.

— Alors, Isabelle-Marie? demanda la voix cauteleuse de Louise.

— Rien, mère. Un étourdissement...

Louise couvait dans la sienne la main de son fils et tous deux glissaient dans la foule, insensibles à l'odeur de fumée. L'enfant blond suivait, indolent, la tête portée par le bras de sa mère. Isabelle-Marie regretta que le soleil aidât trop la chevelure de Patrice à se remplir d'innocence. Elle suivait son frère, gauche dans sa robe noire... et plus gauche encore dans sa chair.

* * *

Persuadée que Patrice ne pouvait manquer de certains dons, Louise lui donna des professeurs privés, mais l'un après l'autre, ils quittaient la maison, rebutés, conscients de la stupidité de Patrice et de l'illusion grotesque de sa mère. Aucun n'eût certes réussi à refroidir, par des mots, la passion de Louise, passion qui durait depuis la naissance de ce corps fait pour annoncer un esprit qui ne l'habitait pas. Louise continuait d'exalter son fils, comme dans un rêve, de lui fournir l'âme qui lui manquait. Si Patrice se taisait, c'est qu'il savourait quelque inspiration secrète. Si Patrice renouvelait toujours les mêmes gestes insignifiants dans ses jeux, c'est que son instinct d'enfant beau le voulait ainsi. Elle était son esclave. Lui prêtait son intelligence. Le traitait en être d'exception et s'efforçait de lui épargner tout échec. Son petit dieu! Et la Belle Bête se nourrissait, dormait, souriait, ne cherchait rien, riait lorsqu'elle voyait les autres rire. La Belle Bête mâle aurait bientôt quinze ans.

De plus en plus esclave de son fils, Louise lui préparait des mets délicats, l'aidait à soigner son corps, l'initiait à la vanité en le plantant devant les miroirs, mais là comme ailleurs Patrice ne manifestait que langueur. Elle le satura de promenades, de courses à cheval. Les chevaux, il les aima tout de suite, d'instinct. Et Patrice obéissait. Il pleurait quand on lui demandait de pleurer, s'attendrissait avec elle sans savoir pourquoi. Il n'avait jamais rien découvert, ni l'amour de sa mère ni la jalousie d'Isabelle.

Il ne devait trouver que sa beauté. Et il la découvrit.

II

C'était l'été. Isabelle-Marie, abandonnée aux femmes de la ferme, partageait leurs rudes travaux, s'usait les doigts, grise de sueur, les cheveux épars sur les joues, la bouche salée. Elle ressentait un mal vif à la poitrine. Ce mal la vidait et sa chair collait à elle comme un vêtement de chaleur. Jamais le soleil n'avait été aussi puissant; armé jusqu'à la brûlure, il hâlait les paysans, asséchait la terre. Isabelle-Marie en avait les nerfs à vif. Le soir, de retour à la grande maison déserte, elle retrouvait Patrice qui jouait sa vie de fainéant et Louise qui vivait son caprice. Irritée, elle ravalait ses violences, son cœur criant justice. Mais la révolte la fortifiait et ses mains s'aiguisaient comme des lames.

Un jour que Louise était à la ville, Isabelle-Marie accompagna son frère à la baignade. Malgré son effrayante jalousie, elle cherchait la présence d'une affection familiale. Au lac, Isabelle-Marie ne souffrait plus de son dos courbatu. Quand elle nageait, chacun de ses membres reposait et tout son corps buvait à l'adolescence. Était-elle capable de s'en satisfaire comme Louise et Patrice? Non. Brisée d'humiliations, la satisfaction, chez Isabelle-Marie, prenait la forme d'un délire. Offrant ses membres à l'eau froide, elle était presque heureuse d'être si différente de Patrice et de Louise. Elle secoua son visage. Les gouttes coulèrent toutes à la fois sur un seul côté de sa joue.

Puis elle s'écria:

— Patrice, tu viens... Patrice?

Nu, splendide, Patrice restait à genoux et semblait vouloir disparaître au fond de l'eau.

— Patrice, que fais-tu là?

Il ne répondit pas et resta immobile. Elle ne put que l'admirer en rougissant de le trouver si beau.

— Patrice...

Gracieusement penché, le dos pur offrait cette tendre nuque inviolée que Louise chérissait tant de sa main, et cette nuque d'enfant luisait, comme démoulée à l'instant même.

«Il se contemple!» pensa Isabelle-Marie.

Oui, Patrice contemplait son corps, flottant et pourtant en équilibre dans l'eau.

— Patrice! Patrice!

Elle criait, désirait l'effrayer.

Mais Patrice n'écoutait plus. Patrice se regardait et, pour la première fois, il découvrait un sens à sa beauté. Penché sur lui-même, il tressaillait de se sentir si net, si beau... Son unique qualité d'homme! Enfin, il leva les yeux, à jamais confident de ses propres traits. Il se mit à marcher dans le sable, mystérieux, vierge, une lumière étrange au front. Dégoûtée, Isabelle-Marie s'enfuit. Patrice ne s'attarda pas à l'oiseau qui volait d'une seule aile près de lui, ni aux jambes maigres de sa sœur qui voletaient parmi les cailloux. Il souriait, la chaleur augmentait en lui et ses muscles en criaient. Désormais, Patrice se savait beau; la beauté serait le but de sa vie. Patrice était devenu le dieu de Patrice. Il n'avait pas assez d'âme pour aspirer à autre chose.

* * *

— Patrice, Patrice, mon chéri... Mais où étais-tu aujourd'hui?

Il était assis sur le bord du lit de sa mère, mains vides, sans regard. Il venait chez Louise par instinct, car tout y était à lui, créé pour sa douceur et son réconfort. Louise dénouait ses longs cheveux, et ce geste était une façon de répandre la tendresse sur son fils. Elle disait toujours: «Alors, qu'as-tu fait, mon grand?» Mais il était libre de ne pas répondre. Parfois il ne se souvenait pas de ses actes. Louise questionnait: «Tu ne trouves pas que la terre a un drôle de parfum cette année?» Et, la tête renversée par le poids de sa chevelure, elle errait dans la chambre, expliquait des plans nouveaux pour ses fermes. Patrice répondait par quelque signe banal et elle se réjouissait.

Un matin elle demanda: «Tu es triste... À quoi penses-tu?»

Il haussa les épaules, sourit, et son sourire lui monta aux yeux, assombrissant ses paupières.

— Je ne pense à rien, mère.

Elle rit :

— Ah ! Mon grand, tu ne me dis pas la vérité.

Mais il disait la vérité.

Il se laissa baiser le front, souhaita une bonne journée et sortit de la chambre de sa mère.

Il arpentait le jardin depuis plusieurs heures, quand une plainte l'arrêta. Il tendit l'oreille... Sa sœur sanglotait. Il l'écouta: Isabelle-Marie ne pleurait pas comme une femme, mais comme se plaint un animal martyrisé. Patrice n'en souffrit point. L'air pressait sa poitrine, la fraîcheur dilatait la terre sous ses pieds. Patrice courait, tempes mouillées. Quand il arriva au bord du lac, comme un enfant qui cherche la suite de son divertissement quotidien, il s'apaisa en voyant son visage, ses bras, son cou, prodigieusement illuminés par l'eau. Il s'absorba dans son bonheur et s'endormit.

*   *   *

Isabelle-Marie coupait fébrilement le pain. Elle ne le déchirait pas d'une main d'enfant mais d'un geste froid comme un couteau. Louise surprenait des lueurs de rage au coin de ses yeux et le pli qui creusait ses joues.

— Eh bien! Passe la corbeille, Isabelle!

Isabelle-Marie offrit le pain, serra la bouche, toujours sans baisser le regard.

— Prends, mère.

Louise supportait ses regards fielleux, perçants de haine, des regards qui ne tranchaient ainsi que dans les yeux de sa fille. Elle avait appris à s'y résigner, ainsi qu'à des châtiments intimes.

— Un autre morceau pour Patrice, dit-elle.

L'heure des repas était l'heure de nudité. On y tendait la main pour recevoir, on y montrait des doigts nerveux. Les visages se heurtaient en profondeur. Isabelle-Marie voyait la mère et le fils, resplendissants de santé, et elle se sentait devenir

21

laide au même rythme que Patrice gagnait sa beauté d'adolescent.

— Mes enfants, dit Louise — mais elle ne regardait toujours que Patrice en parlant — j'ai décidé de faire un voyage. Je voudrais discuter d'installations plus modernes avec des amis: vous comprenez, qui exigeraient moins d'ouvriers, qui...

Isabelle-Marie l'écoutait, glacée. Louise parla plus vite:

— Tu viendras, Patrice?

Comme il ne répondait pas:

— Je sais, ce n'est pas très intéressant pour un enfant de ton âge...

Elle cherchait, insolente mais rusée, à promener sa Belle Bête, ce charmant phénomène qu'on se montrait dans les rues. L'apparence de son enfant forçait une admiration qu'elle goûtait voluptueusement.

Patrice expliqua son refus dans une moue que Louise seule comprenait. Puis il replongea ses dents dans le pain. Cette façon de manger lui donnait l'allure un peu fauve. Ses yeux brillaient, une énergie tendait ses joues.

— Ça ne te plaît pas, mon grand? Alors, il faudra bien que j'y aille seule. Tu te reposeras en m'attendant.

Se reposer. Il ne faisait que cela. Il vivait en se reposant, il se reposait sur tous. Il suçait le sang des autres, à force de se reposer.

— Isabelle-Marie s'occupera de toi. C'est une vraie femme, Isabelle-Marie, tu sais.

— Oui, dit vivement Isabelle-Marie et sa réplique arriva vraiment trop vite. Elle se mordit les lèvres. Quelque chose hurlait en elle... une joie ignoble!

— Isabelle-Marie, qu'as-tu, Isabelle-Marie?

Le malaise du train la reprenait. Elle s'empourpra:

— C'est une excellente idée, mère. Il faudrait de bons tracteurs. La terre est devenue trop dure à travailler.

Louise la voyait trembler, sans comprendre.

III

Louise partit seule. Ah! que l'enfant lui manquerait. Sans lui, elle était si faible, dépouillée de racines et de fleurs. À quarante ans, Louise était encore une poupée, vide, soucieuse à l'excès de son corps, de sa minceur. La beauté de Patrice n'était pour elle qu'un reflet de la sienne.

Elle avait aussi besoin d'une protection luxueuse même si elle était illusoire. Le luxe! Elle en jouissait comme ceux qui n'ont pas le sens de la souffrance. Elle était peu intelligente mais une astuce calculatrice se mêlait à son âme de mannequin. Elle trouvait sa fille agaçante: «Bonne à pleurer puisqu'elle est laide.» Isabelle-Marie ressemblait pourtant à son père, à son brave rêveur de père qui parlait de ses terres comme de filles élues de Dieu, en poète pur! Comment s'était-il passionné pour Louise, cette belle-de-corps éphémère?

Louise savait jouer des esprits crédules, épris de ses charmes. Elle avait le goût de chercher à tout obtenir par son corps, comme une prostituée hantée par l'argent.

Isabelle-Marie avait dix ans quand mourut son père. Depuis, elle s'était retirée à l'intérieur de son mal, et le mépris qu'elle nourrissait pour Louise l'avait asséchée.

Louise partit donc seule, et pour la première fois privée de Patrice, cette femme se sentait coupée en deux.

* * *

— Je veux du pain, donne-moi du pain, Isabelle.

En plein midi, la table était blanche de soleil et les visages pâles. Isabelle retenait le pain loin de Patrice, qui, dans son désespoir, ressemblait plus à lui-même, à un idiot. Isabelle-Marie était enfin libre de ne pas ménager son frère. Elle pouvait tout tenter, il ne connaissait aucune défense.

Privé de nourriture il deviendrait chétif et, lui que la misère n'avait jamais touché du bout des ongles, serait son vague pantin hâve. Oui, Isabelle-Marie voulait l'enlaidir. Un instant, elle repoussa ce nouveau goût de la perversité, puis elle l'accepta. Ah! Surprendre la beauté dans sa lente décomposition! Mais ne serait-ce pas criminel? Lui, le pauvre Patrice, était-il responsable de sa beauté?

Le poison bougeait en elle et elle s'étonnait de sa propre puissance: «Et moi, alors, suis-je responsable de ma laideur?»

Patrice tendait les mains, regardait autour de lui comme pour chercher sa mère, l'épaule de sa mère: «J'ai faim, j'ai faim.» Il ne finissait pas de tourmenter sa sœur, de la supplier en tremblant, tandis que la révoltée, à coups de coudes, l'écartait de la table, comme lorsqu'on veut éloigner un enfant du feu ou d'une colère qu'il ne mérite pas.

Patrice ne savait pas se défendre. Il pleurait, en boule. Impitoyable, Isabelle-Marie résistait à ses gémissements. Puis, sur une rêverie de gosse qui manque de souffle, il s'endormait, léger, ventre creux, doucement, très doucement, à peine du sommeil.

Les premières nuits, il se réveillait en criant, frappait des poings contre la porte et peu à peu une drôle de mort l'envahissait. Il tombait, «reposait». D'autres fois, lorsque le délire l'enflammait, il sortait et traversait les jardins comme un fou. Il tendait les bras, courait jusqu'au lac où il plantait son visage fiévreux, et tout son corps affamé.

Ses douleurs étaient grandes, mais il les sentait en idiot. Il dévorait n'importe quoi dans les champs, se roulait à terre, abandonné à sa terrible faim. Le quatrième jour, Isabelle-Marie le trouva défiguré. Il avait les yeux cernés et les lèvres mauves. Ayant réussi à moitié sa vengeance, elle en perdait le goût. Le cinquième jour, elle découvrit son frère allongé sur le bord du lac, la poitrine en avant, tranquille. Il avait un sourire vague. Elle le regarda longtemps, s'épuisait l'âme à le regarder.

«Après tout, Patrice n'est qu'un enfant.»

Elle le souleva. Son faible poids lui fit mal. Elle le coucha sur ses genoux comme un mourant, tristement.

Isabelle-Marie se mit à bercer son frère. Il était blême entre ses bras, abandonnait une main autour de son cou, et il élevait son visage aux yeux clos contre l'épaule de sa sœur. D'instinct, il goûtait à toute épaule qui s'offrait pour consoler son front vierge. Ainsi donné à Isabelle-Marie, il cherchait la chaleur de sa mère. Elle ne fit pas l'effort de le redresser.

L'image des trois montagnes se reflétait sur l'eau comme des fantômes à la nage. L'étrange froid d'un sol humide roulait sous les pieds d'Isabelle-Marie et elle regardait au loin, immobile, nullement effrayée par ce gisant de chair qui dormait annexé à son flanc. Patrice respirait mal. Il dormait d'un sommeil malsain comme un malade au bout d'une crise sans merci. Il souriait de la lèvre inférieure, d'un demi-sourire de souffrance, une expression d'autant plus émouvante sur ce visage qui n'était jamais troublé. Elle observa la fange dans sa chevelure, les taches sur les joues, les tempes, qui battaient à peine tandis que son front gardait sa dignité juvénile, un front admirable et sans honte qu'elle posa, plus humaine, sur son épaule. Patrice serait sans doute toujours beau et vide, s'il continuait à vivre. Isabelle-Marie plongea sa main dans les cheveux de son frère et le secoua en riant:

— Alors, mon petit, tu dors?

Elle surveilla le moindre tremblement de peur aux cils serrés de l'enfant.

— Mon petit, tu sais, tu me fais pitié.

Mais il ne l'écoutait pas. Elle n'avait qu'à griffer ce visage innocent qui ne luttait pas, elle n'avait qu'à déplier sur lui ses ongles de possédée, mais elle rengaina la main et se blessa la lèvre d'un coup de dent. Elle rit, en mêlant la chevelure follement tendre:

— Ma Belle Bête... Ma Belle Bête!

Patrice frémit. Il murmura qu'il avait faim. Il était tout chaud sur la chair d'Isabelle-Marie. Elle simula l'indifférence:

— Allons, debout! Oui, je vais te donner à manger, mais oui, ma Belle Bête. Lève-toi donc!

Il ne pouvait se redresser tout seul. Isabelle le prit dans ses bras et le porta comme un enfant évanoui, tête renversée en arrière. Elle pensa qu'il eût été si simple d'entrer dans l'eau et de laisser tomber son frère, de noyer ce demi-mort.

Puis se ressaisissant:

— Après tout, ce n'est qu'une bête.

Elle pleura soudain, de regret, ou n'était-ce pas plutôt de sentir qu'elle tenait de ses bras un corps sans âme? Le héros de Louise n'avait même plus de poids. Il était transparent, chaste, et déjà au-dessous de la douleur. Serrant le corps elle courut jusqu'à la maison, dévorée d'une immense soif de protection.

Elle arriva en sueur, la cheville meurtrie.

* * *

Et elle ne savait plus maintenant comment guérir Patrice, qui lui-même n'avait aucune réaction salutaire. Louise choyait trop son fils pour qu'il fût acclimaté aux férocités d'Isabelle-Marie. Patrice traînait donc ses jours de grosse fièvre et de délire sans aucune envie de manger à nouveau. Blanc sous les draps blancs, il rêvait. Il voyait le lac perdre son eau. Il cherchait son visage dans l'eau qui disparaissait, il criait, mais aucun miroir ne lui renvoyait son image, aucun écho ne lui renvoyait son cri. Il se retournait dans son lit lorsqu'il entendait les sanglots de sa sœur.

Terrorisée par le proche retour de sa mère, Isabelle-Marie était maintenant la plus vaincue, la plus empoignée par le cœur. Aux moindres appels de détresse, elle accourait, humectait le visage de son frère, le calmait, lui offrait à boire. L'adolescent éprouvait vis-à-vis de sa sœur une crainte d'esclave sans lucidité. Les miroirs seuls l'abritaient de toute peine. Au plus tragique de ses rêves, Isabelle-Marie lui donnait un miroir et là il souriait à ses dents pures, à sa bouche parfaite. Une fausse paix l'ensorcelait, mais sans le guérir.

Patrice se consumait de langueur, comme épris de son propre drame.

— Allons, bois, Patrice.

Ses lèvres semblaient la narguer, en toute paresse. Il étreignait les draps pour mieux s'amollir au fond du lit. Un troublant miracle, au long de ses traits, transfigurait sa première beauté. Isabelle-Marie croyait voir sa victime sauvée du mal, de la laideur, puisque la privation avait soumis Patrice aux sortilèges de la mort, où tous les visages sont beaux.

Il était rayonnant, même maigre, elle était usée, même jeune.

— Mère reviendra, supplia Patrice, elle reviendra?

— Mais oui, elle reviendra, ma Belle Bête, et
tu seras heureux.

Soudain, elle l'étudiait de son œil foncé, elle
avait l'air de le prendre entre son regard et sa
bouche, de vouloir encore parmi ses griffes une
proie qui ne pressentait jamais la souffrance.

— Tu ne veux pas un peu de vin?

Il ne répondait pas. Ses tremblements de vi-
sionnaire le reprenaient et il transpirait, criait, la
bouche collée à l'épaule d'Isabelle-Marie.

— Allons, sois sage.

Il mouillait le cou nu de la jeune fille de ses
larmes brûlantes, s'accrochait à son ventre et Isabelle-Marie en ressentait une misère d'agonisante
qui aspire, de plus en plus vite, aux ténèbres.

Et voici que tout en désirant étrangement le
mal pour son frère, Isabelle-Marie y mêlait la
crainte de le perdre; mais l'adolescent gisait dans
ses délices de léthargie.

Isabelle-Marie lui consacrait ses nuits, redoutant et espérant à la fois les cris de sa faim. Patrice
s'amenuisait toujours.

IV

En un jour de douleur lancinante, où Isabelle-Marie craignait quelque veille d'agonie, Louise arriva, grande, fraîche, la chevelure teinte sous son chapeau couleur feu. Le voyage avait donné à sa chair une couleur juste assez mûre pour achever sa beauté.

Mais elle n'arrivait pas seule; elle avait invité un dandy de son âge.

Devant eux, Isabelle-Marie esquissait un sourire: sa mère, depuis quelques années, promettait la venue de cet ami qu'elle disait «bien taillé dans sa chair d'homme».

— Isabelle-Marie! Oh! Quelle triste figure tu fais!

Et tout de suite sa voix changea:

— Où est mon Patrice? Vous n'avez pas vu mon fils, Lanz? Dieu ne fit jamais un enfant pareil! Mes amis disent qu'une telle beauté tient du génie!

— Patrice!... Patrice!..., criait-elle entre ses doigts gantés.

Isabelle-Marie se tenait dure devant elle.

— Il dort, mère.

Louise renversa de côté sa tête sur l'épaule du dandy distrait:

— Il dort. Il a encore trop couru. Je le savais. Oh! Lanz, c'est vrai, vous ne connaissez pas ma fille Isabelle?

Isabelle-Marie ne tendait pas la main. Le regard de Lanz lui redisait qu'elle était laide.

— Lanz, reprit la voix doucereuse de Louise, il faut excuser ma fille. C'est une sauvage, aucune éducation ne vaut avec elle.

Elle rit pour mieux offrir sa bouche fausse. Isabelle-Marie remarqua des nervures sous le maquillage, un sillon qui, de l'œil au nez doux, scintillait comme une larme de sang.

— Il faut réveiller Patrice, dit Louise.

— Il est très malade.

Louise faiblit, puisant, du regard, des forces en son ami. Elle commença à sortir les mains de ses gants, élégamment, avec cette lenteur de dame sûre de soi.

Elle se retourna, soudain aigrie, ridée par un chagrin inattendu:

— Quoi! Patrice est vraiment malade?

Traversant la pièce, elle arracha son chapeau; elle laissa tomber ses bras pour s'immobiliser au seuil de la chambre:

— Patrice, Patrice, qu'y a-t-il?

Allongé sur le dos comme un dieu de marbre, bouche entrouverte et pâle, Patrice fixait sa mère. Elle en fut tout à coup déchirée.

Louise se jeta sur lui, entière. Elle le sentit fiévreux sous elle:

— Mon grand, qu'as-tu fait, encore? Mais non, je ne partirai jamais plus. Je te reviens toujours. Je suis là, Patrice... Patrice!...

Patrice pleurait plaintivement dans ses cheveux. Louise le caressait comme un mort.

— Souviens-toi, Patrice, qu'est-il arrivé?

— Je ne sais plus.

Isabelle-Marie écoutait. Son frère ne parlerait pas. La pauvreté d'esprit de Patrice la protégeait. Elle rit au fond d'elle-même, et sa perversité éclata dans ses yeux. Lanz était gêné de la voir si rude de traits, le corps hargneux comme un glaive ébréché.

Il tournait la petite canne d'or qu'il promenait au même rythme que sa jambe boiteuse. Cette infirmité, qui soulignait la fierté des épaules et du pas, accusait sa vanité d'un seul coup. De profil, Isabelle-Marie le trouva plus imposant, plus homme. Un rayon de soleil donnait à sa barbe brune un air de masque incomplet qui dissimulait la brutalité de ses yeux, son regard d'homme feint qui ne savait à quoi jouer dans la vie, sauf à l'élégant.

Isabelle-Marie se révolta en songeant que cet être-là était l'amant de sa mère, estimant d'autre part que l'absurdité de Louise ne méritait nulle foi, même charnelle. Lanz la dégoûtait. Elle le jugeait. Décidément elle avait cette vertu de juger ceux qui accompagnaient sa souffrance.

Une sueur froide lava son front: elle l'essuya aussitôt de sa maigre main et appuya sa tête au bois de la porte. Elle entendait les gémissements de Patrice, ses brefs cris de reconnaissance semblables aux cris de jeunes bêtes. Elle faillit s'évanouir comme jadis, dans le train, lorsqu'on vantait Patrice. Pourtant, son corps s'affermit. Elle s'apaisa.

Louise, épouvantée, penchée sur son fils, le suppliait de ne pas mourir. Elle s'endormit dans cette haleine. Il avait enfin trouvé en sa mère le miroir qui lui manquait.

— Isabelle, s'écriait Louise, ah! je sais de quoi il a souffert cet enfant! De mon absence! Il avait besoin de moi...

Isabelle-Marie ricana. Elle sortit et disparut dans les champs.

* * *

Pendant que Louise aidait à la résurrection de la Belle Bête, Patrice se méfiait de Lanz, par instinct. Il ignorait pourquoi cet intrus lui était contraire et il se sentait menacé.

Quand Louise n'écoutait pas Lanz parler de ses habits, elle menait son très beau fils à la promenade, l'honorait, se louait. Entre Lanz, alléché par ses maquillages réussis, et Patrice qui l'approuvait en tout sans comprendre, Louise vivait repue, et c'est tout ce qu'elle exigeait.

Au bout des jardins, Patrice et sa mère entrèrent dans une longue allée de saules. Louise vit Isabelle-Marie surgir de cette ombre verte et s'enfuir avec ses trois chiens, cheveux au vent. Louise se demanda pourquoi sa fille portait sans cesse des robes noires... «Ça lui colle aux hanches comme une tunique de deuil!» Ensuite elle regarda Patrice et en fut reposée. Elle l'aidait à bercer du torse en marchant, gardant toute confiance tant que cette beauté juvénile restait sienne, même si cette beauté restait sans esprit.

Dès son retour, elle lui avait appris à s'intéresser à lui-même, à se rendre agréable, physiquement parfait. Elle faisait de lui ce qu'il lui plaisait et s'en croyait d'autant plus mère.

— Tu sais pourquoi, mère, Isabelle court ainsi?

Louise haussa les épaules:

— Est-ce ma faute? Ta sœur aime le mouvement. Elle était très petite, tu te souviens, et elle courait déjà les champs.

En même temps, elle riait et son rire évoquait tout le destin des tuberculeux, des fragiles. Certains de ses mouvements dépassaient l'élégance et dénonçaient la maladie.

— Quelles joues tu as maintenant, Patrice! Et des mains d'homme, pas des mains vides... et un beau cou que le soleil fera brunir de santé.

Elle parlait inlassablement et Patrice ne voyait pas les griffures sur le visage maternel, le lierre effrayant qui s'agrippait à la chair, salissant la peau blanche, un peu plus, chaque jour. Malgré tout, Louise était sûre d'elle, mais d'une sécurité qui l'appauvrissait. Belle poupée, elle flottait dans les regards contemplatifs des autres, sans se douter qu'elle serait bientôt abandonnée et flétrie.

Elle se trouva seule brusquement. Patrice courait... On eût dit qu'il inventait un ballet pour lui-même, rayon de son propre soleil.

Louise criait:

— Patrice, ne t'excite pas, allons, mon grand!

Et Patrice courait sous les arbres; il se perdait dans l'ivresse de se plier, de se tendre de tout son corps, de caresser de ses mains ouvertes la terre grouillante.

* * *

Il était maintenant debout contre le mur, Isabelle-Marie à ses côtés, les yeux levés, en plein silence. Il regardait sa mère: lumineuse, elle glissait vers la forêt. Lanz semblait la soulever en lui prenant simplement la main, une main de verre, pensait Isabelle-Marie. Lanz riait aux éclats en marchant, sa petite canne d'or écartant les herbes. Parfois, il faisait tourner cette baguette si habilement entre ses doigts que son infirmité risquait de devenir, elle aussi, galante. Quand il renversait le front, sa barbe augmentait la pâleur de son visage si fin, si lisse qu'il paraissait être fait pour deux mains de femme.

C'était un être qu'on accueillait facilement. Il ne résistait pas. Ni méchant, ni bon, ni doux, ni violent, il ne savait pas trop lui-même ce qu'il était et ne cherchait guère à le savoir. Comme Louise, il avait des passions vaines, artificielles. Il aimait le vin, la bonne chère, les femmes faciles et sans esprit. Il adorait se sentir entouré, grisé de conquêtes, irrésistible séducteur. Sans conscience, il

jouait à l'amour avec beaucoup de femmes, char-
mait l'une et puis l'autre, leur inventait des dis-
cours sublimes mais nuls, et laissait derrière lui des
cœurs sanglants dont il se glorifiait avec effron-
terie.

«Au moins, disait-il, quelqu'un aura pleuré
pour moi.»

En Louise, il avait trouvé une aimable vieille
poupée. Aujourd'hui, il la possédait. Louise avait
son adorateur et Lanz, son adoration, aussi vains
l'un que l'autre.

*   *   *

Isabelle-Marie souffla sur la nuque de son
frère. Il en frémit un peu et sa poitrine, aussi chaste
que son front, tressaillit comme une poitrine d'enfant.

— Alors, tu les vois? Maintenant, c'est Lanz
qui est son fils, Lanz qui l'accompagne à ses promenades, Lanz qui monte les chevaux; toi, tu n'es
plus son cher Patrice.

— Répète très lentement, dit Patrice qui ne
comprenait pas.

— Je te dis que ta mère ne t'aime plus, Patrice.

— Moi?

— Toi.

Patrice qui couvait déjà quelque rancune obscure envers Lanz eut une envie animale de crier et

il cria, des larmes pleins les cils. Isabelle-Marie l'implora sournoisement:

— Patrice... Tu es malade, Patrice?

Il fixa son regard malheureux sur les deux infidèles, couple enlacé qui roulait à travers les arbres. Ses prunelles s'enflaient de détresse, de l'effroi des yeux de fou.

— Rentrons, dit Isabelle-Marie, je voulais te taquiner. Je voulais rire avec toi.

Il ne répondit pas et restait inerte.

— Viens, viens, priait-elle surprise de le voir si vulnérable à la tentation.

Patrice s'enfuit. Il avait seize ans et courait comme un virtuose des muscles. Isabelle-Marie eut le temps de souffrir encore de sa beauté.

— Où vas-tu?

Elle courut, elle aussi, mais à mesure qu'elle essayait de rejoindre son frère, tout se déchirait dans sa chair.

* * *

Arrivé au lac, Patrice attendit le repos des eaux. Il se regarda puis se leva, très lentement, ouvrant ses bras magnifiques comme s'il eût désiré jouir de sa beauté, goutte à goutte et jusqu'au fond. Il était admirable et seul, prêt à rebondir dans le coucher du soleil.

V

Un soir, il arriva que Patrice entra dans la chambre de sa mère pour lui souhaiter une bonne nuit, à cette heure où Louise arrachait les peignes de sa chevelure et errait, insouciante, de la fenêtre au miroir. Mais cette fois, Louise était absente. La canne d'or avait été oubliée sur le lit défait ainsi qu'un gant d'homme, ouvert au milieu des draps. Les foulards de Lanz pendaient partout et chacun avait un parfum différent. Sans pouvoir s'expliquer pourquoi, Patrice prit peur. Cette chambre n'avait plus, tout à coup, le même velours, les mêmes bras qui serrent et détendent. Il regardait, désespéré de ne point y trouver sa sécurité. La canne d'or lui rappela Lanz et la promenade de l'après-midi, et aussi la barbe de Lanz, les yeux de Lanz dont il se méfiait. Maintenant, Patrice craignait presque de s'asseoir sur le bord du lit. Il avait l'impression d'être écrasé par les murs. Tout était devenu autre. Il restait immobile, étourdi et mal à l'aise, au centre de la présence ennemie.

Il éprouvait l'aigre goût de supplier, sans pouvoir juger de ses sensations plus que de son âme.

Dehors, à la ferme voisine où grandissait une famille considérable, on festoyait, et les chants venaient jusqu'à lui, le pénétraient amèrement. Un moment, il ne songea plus à la canne d'or, ni aux foulards, ni au gant du vieux Lanz. Il pressa son corps contre les volets humides, mêlant sa mélancolie à l'ombre nocturne. Là-bas filles et garçons dansaient, s'embrassaient en criant leurs cantiques de jeunesse. Patrice écoutait, à demi émerveillé, l'esprit noyé plus que jamais dans ses eaux troubles.

Il n'avait jamais connu d'êtres que sa mère, les professeurs passagers et Isabelle-Marie. On le regardait seulement quand on l'approchait. On ne revenait plus s'inquiéter de lui.

D'ailleurs, Louise le préservait des autres pour mieux garder son emprise sur lui. Elle y réussissait sans peine.

Seul dans sa chambre, Patrice dansa, imitant, car il ne savait qu'imiter, les mouvements d'adolescents unis. Il dansa et rit en dansant, sentit palpiter en lui sa soif des courses. Isabelle-Marie eût tant aimé danser ainsi, mais Isabelle-Marie avait honte, elle travaillait à d'humbles besognes et on ne la voyait pas; elle parlait aux bêtes qui ne risquaient pas de l'insulter, comme les humains. Étourdi, Patrice ferma les volets sur la nuit chantante comme une cigale, son regard étreignit le lit ouvert, le blanc des draps, le gant... la maudite canne du dandy. Il exprima un drôle de dédain, à moitié viril, à moitié enfantin, et ses narines battaient comme pour transformer son masque de superbe en face de révolté.

Il chercha la chevelure de Louise qui était pour lui le linge doux où essuyer ses larmes de délire. Il se vit grand et homme, dans le miroir. Il toucha, de l'ongle, la face de verre et sourit sans être assouvi. Il revint s'asseoir. Louise disait toujours: «Allons, enlève ces feuilles que tu as dans les cheveux»; ou «Que tu grandis, Patrice!» Ce soir, elle se taisait. Tout se taisait. Patrice se mit à sangloter comme un très jeune enfant affamé, à genoux la tête dans les draps. Il pleurait sans arrêt, et ce clair adolescent qui secouait les épaules était pitoyable, épris de son propre vertige.

Louise et Lanz entrèrent.

Louise trembla sous son fard et la griffure de la joue parut plus saignante.

— Aide-moi, Lanz. Les fièvres! Je sais, Patrice est malade.

Lanz obéissait, épongeait le front de Patrice mais l'idiot s'accrochait davantage à sa mère, pleurait plus ingénument encore dans le cou de Louise.

— Qu'y a-t-il? Dis-moi... murmurait Louise.

Il ne répondit pas. Il se leva brusquement et voulut courir, mais Lanz le retint de sa main nue, son autre main gantée derrière son dos:

— Vous souffrez, Patrice?

Patrice le regarda d'un regard qui le cingla, lui, Lanz, qui ne faisait attention à rien, sauf à lui-même et à son monde de poupées. Il se sentit nu sous le regard de Patrice. Isabelle-Marie se demandait souvent comment un être égoïste comme Lanz pouvait porter en lui les germes d'une saine émotion. Lanz pensa: «Mais d'où vient donc ce regard-là? De l'intelligence ou de la déception de ne pas en avoir?» Puis il affirma aussi, en mondain, les sourcils lissés:

— Patrice, nous vous annonçons notre mariage. Oui, nous nous marions, Louise et moi. Vous souriez? Louise, il sourit, regarde. Mais non, il n'est pas malade.

C'est vrai, Patrice souriait, sans comprendre. Louise le serra contre sa poitrine, l'admira. Elle riait, joues luisantes.

— Préparons des coupes et buvons ensemble!

— Isabelle-Marie, où est Isabelle-Marie?

Patrice resta seul dans la chambre. Une larme mouillait sa lèvre avancée.

* * *

— Isabelle-Marie, vous ne riez pas avec nous? Je suis déjà un peu votre père.

— Lève ton verre, Isabelle-Marie!

Et plus tendrement:

— Patrice, qu'est-ce que tu as à te mordre les doigts?

Patrice leva son verre qu'il heurta machinalement sur celui de Lanz dans un geste qui ne signifiait rien pour lui.

— Pourquoi vous taisez-vous toujours, Patrice?

— Il n'a rien à dire, plaqua Isabelle-Marie, très morne.

On ne l'entendit pas. Elle était moins redoutable, cette nuit. Elle avait ajouté un fichu blanc à sa robe noire et du rouge à ses lèvres. Elle écoutait la musique de la ferme endiablée, tout près.

— Isabelle-Marie, ma fille, tu es distraite!

— Isabelle-Marie, apportez une autre bouteille de vin.

Elle se raidit.

Elle pensa au mariage prochain du couple de poupées, poupée mâle, poupée femelle. Elle allait vivre au milieu de la souillure impersonnelle des visages de cinéma. «Dommage, ils n'ont pas d'âme», se disait-elle.

Très loin, dans son enfance, elle apercevait son père, l'âpre paysan, le maître du pain. Lorsqu'il labourait le ventre vierge de la terre, il pénétrait le cœur de Dieu. En lui, la candeur de l'âme se mêlait à l'instinct comme la bonne vigne fleurissait son teint.

Isabelle-Marie se rappela les bottes énormes de son père qui sentait le blé et la glaise.

— Isabelle-Marie, tu deviens rose. Enfin quelque chose pour te rendre jeune fille... le vin!

Isabelle-Marie n'entendait pas sa mère. Louise se perdait dans ses personnages, délaissant tour à tour Patrice pour son amant et Lanz pour Patrice. Elle riait entre ces deux belles têtes, et parfois Patrice glissait son front, se collait à son épaule, tandis que Lanz s'amusait. Il s'amusait partout, lui, frais d'une fraîcheur déconcertante. Il riait et son rire était le rire figé et gracieux des marionnettes. On ne retenait que cela de lui. C'était un élégant dont l'élégance allait jusqu'à son rire.

Les poupées se rencontraient, s'unissaient sans avoir besoin de se connaître. Patrice brillait d'ingénuité auprès d'eux.

Étouffée, réduite à l'angoisse du train, Isabelle-Marie sortit.

VI

Au milieu de la nuit, elle renversa son corps, se sentit consumée de plaisir, s'imaginant être belle. Là-bas, on criait. Les rondes d'adolescents bougeaient sous les arbres illuminés et les filles aux robes à longs rubans tournaient, éthérées. Isabelle-Marie courut s'y mêler.

Comme on dansait très vite, elle heurtait les visages de ses joues, roulait de bras en épaules, enivrée, maladroite, soulevée par les flots de son sang. Elle dansa éperdument, au risque de souffrir d'une de ses chevilles, plus mince que l'autre de naissance.

Elle goûtait à cette foule de jeunes gens, s'effaçait, revenait, comme une interdite dévoilée pour une nuit. Ses flancs brûlaient. Isabelle-Marie dansait avec fureur, tordue et plus maigre, dépouillée par sa joie à force de la savourer.

Enfant, elle allait souvent au cimetière, vaga-bondait de croix en croix, s'encourageait à la tris-tesse par les vents lugubres. Ses rêveries aiguës et diaboliques l'avaient de plus en plus hantée: aussi retrouvait-on sur son visage le reflet de son âme angoissée, un peu effrayante.

Mais, cette nuit-là, elle dansa tant qu'elle ne se reconnut point. Soudain un bras jeune l'arrêta. Elle valsa sur un seul pied comme on danse sur un poignard, elle courba le front.

— Tu danses trop, toi.

Elle fixa un regard sévère sur celui qui lui parlait ainsi. C'était un jeune homme de dix-huit ans. Il riait, éclatant. Quand il eut fini de rire, il releva sa belle tête et Isabelle-Marie vit sa cheve-lure toute blanche et bouclée. Ses yeux noirs, d'un noir très doux, se creusaient sous le front et la prunelle affichait un dédain définitif, comme ce dédain secret des enfants monstrueux. Isabelle-Marie ployait à mesure qu'elle se laissait regarder. Puis elle s'étonna, et sans douceur:

— Tu as les cheveux blancs? Est-ce que je rêve?

Il rit plus fort.

— Tu ne rêves pas. J'ai les cheveux tellement blonds qu'ils sont blancs.

Et, en silence, lui caressant le visage, il fouilla de ses doigts écartés les joues de l'amie, son cou muet. Le garçon posa sa main sur l'épaule d'Isabelle-Marie, là où les os mal jaillis se nouaient.

— Tu es très belle, dit-il, enfin.

Elle le repoussa, voulut s'en séparer et retourner danser avec les autres, mais ce regard halluciné la retenait. Elle s'était d'ailleurs hâtée de l'étreindre pendant qu'il lui disait: «Tu es belle». Et il rit encore, il avait l'air d'avoir été créé pour rire et mourir ensuite à l'aube. Il dit, donnant toute son haleine à la joue fervente:

— Excuse-moi, mais je suis aveugle.

Elle comprit tout de cette insolente tête, de son regard qui rampait dans la nuit. Seul un aveugle pouvait la «voir» belle. Elle résolut donc de jouer à être belle pour lui. Elle le jura pendant que les filles à rubans lançaient des fleurs aux garçons. Plus pâle, elle s'était redressée:

— Oui, je suis très belle. J'ai les yeux lilas et de longs cheveux blonds. Touche mes cheveux. N'est-ce pas qu'ils ont le goût du pain?

Il souriait, ignorant, ébloui.

— Tu es donc si belle?

— Mais un peu maigre.

Il ajouta, lui serrant le bras, coulant son front dans les cheveux noirs:

— Je te verrai bientôt. Je pourrai te voir. J'ai été soigné et je dois recouvrer la vue. J'ai la foi, tu sais, je verrai! Avant, je ne voyais que du noir, et puis des lignes; maintenant je vois des ombres. La lumière viendra, sûrement.

— Qu'importe, tu n'as pas besoin de me voir puisque tu sais que je suis belle.

— Je t'assure... que je verrai.

— Alors je serai toujours belle.

Elle parlait avec nervosité, déjà atteinte dans son mensonge:

— Tu veux danser?

Ils dansèrent. Isabelle-Marie respirait, elle était enfin paisible, le cœur pénétré par une âme fragile. Elle le serra plus fort: «Il espère en moi. Il espère à cause de moi!»

— Pourquoi me fais-tu si mal?

— Marchons, dit-elle. Ne dansons plus. Je dois rentrer. J'ai un ami malade. Je veux dire... un frère, je le soigne à cette heure-ci.

Il la suivit jusqu'à la ferme. Il sautait en marchant, cassait une branche qu'il repliait entre ses dents. Isabelle-Marie eût tout donné pour garder longtemps cette main d'homme dans la sienne. Il demanda d'une voix tranquille:

— Et comment t'appelles-tu?

— Isabelle-Marie.

Il murmura:

— Isabelle, Isa qui est belle!

Et il l'embrassa furtivement du bout des lèvres.

— Moi, Michael.

Ils butèrent contre une souche. Ils se laissèrent tomber, et restèrent allongés l'un près de l'autre. L'herbe mouillée entrait dans leurs vêtements. Ils ne bougeaient pas. Isabelle-Marie parla de la lune verte comme d'un joyau qui rendait ses yeux lilas. Elle se voulait amoureuse, belle. Ils étaient purs, en eux brillait cette infinie passion de la beauté intacte. Ils ne parlaient pas. On entendait les chiens hurler et les échos du bal à travers leur hurlement.

— Tu seras toujours mon amie, Isabelle-Marie? Toujours?

Elle dit sans trembler: «Oui.»

Elle cacha au fond d'elle sa respiration. Elle se mordit les lèvres: «Je serai toujours belle.»

— Pourquoi te lèves-tu?

— Je dois rentrer. Mon frère m'attend.

VII

À son arrivée, Isabelle-Marie surprit son frère, seul, des verres brisés autour de lui et du sang sur ses habits.

— Qu'as-tu fait?

Il boudait, plissait le front et ses sourcils se joignaient comme des doigts de satin.

— J'ai cassé les verres.

— Et mère? Et Lanz?

Il fit un geste du bras pour désigner la forêt. Il était las et sa nonchalance le trahissait.

— Ils marchent dans la forêt, dit-il.

— Tu as trop bu.

— J'ai cassé les coupes parce que j'en avais envie.

Pauvre sensuel innocent! Il se contentait des bruits, faute de pouvoir étreindre.

— Et ce doigt? Viens, je vais te soigner.

Il cachait sa main sanglante dans sa chemise, prenant l'allure du boxeur qui se préserve d'une épaule.

— Je n'ai pas mal.

— Viens donc, Belle Bête. Tu as peur de moi?

Il baissa le front tout à fait.

— Oui.

Il regardait le sang sur sa chair. Une goutte de sang le terrifiait.

— Enlève, enlève vite.

Isabelle-Marie endormit la main douloureuse dans une serviette.

— Il n'y a pas de lumière ici, tandis que dehors... dehors...

— Moi j'aimerais danser avec toutes les filles.

Isabelle-Marie rit faiblement et Patrice reposa sa tête sur son épaule en fermant les yeux.

— Ce n'est rien, Patrice, qu'une petite blessure. On ne casse pas les verres ainsi. Si mère se doutait. Oh! Patrice, quelles idées de bambin!

Patrice se fit plus lourd contre sa sœur.

— Mère ne s'occupe plus de moi. Tu crois qu'il sera longtemps ici, l'homme à la canne d'or?

— Toute la vie.

— Toute la vie?

— Je veux dire: «Toujours.» Tant qu'il y aura de l'eau dans ton lac.

— Tu dis vrai?

— Je dis vrai.

— Tu ne veux pas rire?

— Je ne ris jamais.

— Ce sera beaucoup trop long, dit Patrice, désolé, hagard, se redressant à demi. Et il désira courir, ne jamais cesser. Isabelle-Marie le devina.

— Ne pars pas. Je vais te préparer un bain comme au lendemain de tes maladies et puis un bon lit chaud. Patrice? Tu pleures?

Assis, il jouait avec les miettes de verre.

— J'aimerais tant courir et briser des verres et je me couperais toute la chair pour que ma mère revienne des bois.

— Imbécile, dit Isabelle-Marie, maintenant c'est son mari, un mari, tu ne sais pas?

Il répondit non en tournant la nuque.

— Un mari, c'est un homme qu'une femme ne quitte pas. Tu entends? C'est comme une mère. Maintenant Louise est la mère de Lanz.

Il arrondit le dos, pointa les coudes.

— Non. Elle est ma mère à moi, toujours à moi.

Elle lui tapa le poignet et les morceaux de verre tombèrent, un à un.

— Je t'ai dit de cesser. Tu veux voir ton sang couler?

— Ma mère est à moi.

Elle haussa les épaules, impuissante à expliquer:

— Ma Belle Bête! Ma Belle Bête!

Sa façon de rire étonna Patrice.

— Tu es donc joyeuse?

— Oui, j'ai dansé toute la nuit.

À mesure qu'Isabelle-Marie sentait l'espoir monter en elle, elle souffrait moins de la beauté de Patrice. Elle se leva, dansa.

— Et je danserai encore, Patrice! Quand la deuxième fille des Livani aura vingt ans. Ils donnent des fêtes où tous les jeunes boivent du champagne et chantent.

Patrice était maintenant à genoux au milieu des gouttes de verre, il ne l'écoutait pas.

— Qu'est-ce qu'ils disent dans les bois, Lanz et mère?

— Ils ne parlent certes pas de toi. Ils rêvent qu'ils ont vingt ans.

Patrice eût bien voulu s'allonger et pleurer, le bras replié sous le front... ou courir.

— Patrice, ne sors pas. Je croyais que tu n'avais plus peur de moi.

— Je ne suis pas un malade. J'ai seulement un peu chaud. Et mère, je voudrais rejoindre mère.

Elle avait préparé le bain, des vêtements propres. Elle savait que Patrice aimait son linge intact, parfumé. Elle l'aida à se mettre debout.

— Ce n'est pas bien de boire ainsi. Mère ne te défendait donc pas?

— Non. Elle me disait de boire. Lanz surtout.

Ainsi, Lanz avait enivré Patrice pour le distraire de sa mère. Il était ignoble.

— Viens, ma Belle Bête. Tu vois, tu ne peux pas marcher seul. Qu'est-ce que tu ferais sans moi?

— Le pain...

— Quel pain?

— Le pain que tu me cachais. J'avais si faim...

— Tu délires, Patrice. Je ne t'ai jamais privé de pain.

— Alors, c'est au fond de ma tête.

— Oui, au fond de ta tête.

Elle le déshabilla, le soutint. Quand il levait les yeux sur elle c'était un regard si lamentable qu'elle en eût pleuré.

Elle pensa: «Une Belle Bête est donc sensible?»

Et le visage de Patrice se crispa au-dessus de son corps agile. Il n'avait plus l'air de savoir comment se servir de ses membres.

VIII

Partagée, Louise donnait moins à Patrice qu'à son mari et, si elle manifestait le désir de donner plus à Patrice, Lanz l'en empêchait par différents stratagèmes de fausse tendresse.

Ces époux fanés vivaient allègres. Ils allaient à la chasse, se promenaient et, le soir, ils jouaient aux échecs, plus défaits à la lueur des lampes.

Patrice redoutait la chambre de sa mère, et la canne d'or lui répugnait. Il dressait les chevaux, se réfugiait dans la forêt et, par désespoir naïf, se jetait souvent tout habillé dans le lac.

Isabelle-Marie perdait sa passion du travail aux champs. Elle devenait plus femme, oubliait ses tourments. À l'aube, de la rosée jusqu'au cou, avant d'apporter la nourriture aux bêtes, elle allait jusqu'à la ferme des Livani pour y rencontrer

Michael. Elle était toute transformée, aimait les robes blanches et les fleurs à la taille.

— Je suis plus belle aujourd'hui qu'hier.

Et Michael humant l'odeur de son cou:

— Tu as les yeux lilas?

— Oui.

— Et un corps tout blanc?

— Oui.

Elle avait pourtant les yeux noirs, mauvais. Et le teint comme une peau qui crie. Elle lui caressait les cheveux. Michael s'exaltait, ému dans sa chair:

— Je te verrai bientôt. Je commence à te distinguer, seulement ta forme, tu comprends? Tu es très grande, ça je le sais.

Elle pensait: «Il est crédule. Il ne verra certainement jamais.»

— C'est un coup de griffe que j'ai reçu à dix ans, d'un de mes chats.

Elle ne l'écoutait pas. La tête blanche neigeait de son blanc même sur les cils longs, où déferlait comme une lame, un regard candidement hautain.

Isabelle-Marie avait vite été fascinée par cette bouche mauve, semblable à un fruit ouvert. Isabelle-Marie trouvait bon qu'il fût aveugle, sorti lui aussi de la terre mais avec ses yeux bouchés, et des taches de sable collées à sa poitrine toujours nue.

Puisque la première elle jugeait de tout événement, elle prenait vite possession de l'infirme. Main dans la main, ils allaient de l'autre côté du lac, aux trois montagnes. Là, ils couraient, très purs, innocemment.

«Je serai sans doute belle à force de le vouloir», songeait Isabelle-Marie pour se pardonner à elle-même son jeu.

Ils couraient pieds nus, fièvre aux dents. Ils avaient toutes les forêts et la nature entière pour jouer ce jeu d'amour et de jeunesse. Ils avaient dix-huit ans et une aptitude physique à gaspiller pleinement, comme on gaspille n'importe quoi à cet âge, même le génie et les sentiments. Ils étaient simples, vierges, heureux de leur merveilleuse camaraderie qui permettait tout sans risque de se blesser dans leur chair, contrairement à ceux qui vivent avant de chercher la magie de la vie.

Ignorants de cette aventure, Lanz et Louise se disputaient leurs paroles blasées. Isabelle-Marie rejetait maintenant la vie jalouse qui l'avait tant fait souffrir et elle découvrait la joie d'être une femme. Une femme qui jouit d'avoir des bras, une bouche, un visage qui coulent partout autour d'elle, et surtout une femme qui a un cœur. Michael était comme un jeune animal. Il aimait la joie, cruel envers la laideur, révolté devant toute souffrance.

Il était orgueilleux, poète plein d'illusion, car il ne vivait que d'après ses rêves. Il connaissait les bois, le lac et l'histoire des récoltes mais il ne savait pas écrire. Le moindre tressaillement pouvait lui indiquer l'animal qui se débattait.

— C'est un lapin, n'est-ce pas?

— C'est un lapin, disait Isabelle épanouie.

Il définissait tout avec enthousiasme.

— Tiens, il fera orage...

— Tu crois?

Et, plus tard, la pluie les couvrait, fous de rire, assoupis dans les fleurs. Mais ils étaient peu souvent oisifs. L'énergie, ce feu de leurs corps, les poussait à se tordre en courant. Ils s'égaraient, se séparaient quelques moments et celui qui, le premier, avait les bras chargés de fleurs, criait, faisait l'écho entre le lac et les arbres. Quand Isabelle-Marie revenait chez sa mère, elle était si bien convertie en vivante que sa mère ne la reconnaissait pas.

— On dirait qu'Isabelle-Marie boit beaucoup de vin, disait-elle à son mari soutenu par sa canne d'or et ses larges foulards dénoués.

Louise osait parfois:

— Où est Patrice?

Et Lanz répondait brusquement:

— Je l'ai vu à cheval, cet après-midi.

Terrassée d'aventures, Isabelle-Marie délaissait Patrice. Ainsi, lui qui avait eu, en même temps, la haine de sa sœur et l'amour envahissant de sa mère, perdait les deux à la fois. Il était abandonné et il le sentait.

— Encore avec les chevaux?

— Il abuse, déclarait Lanz. Il se colle à la bête comme s'il craignait de la perdre.

En effet, il ne restait au beau Patrice que ses chevaux, ses courses de rebelle et son visage dans l'eau. Louise en tirait encore vanité devant Lanz, mais discrètement. Lanz éteignait l'exaltation maternelle pour tout absorber, au point où cela commence à faire mal, de sa nouvelle femme. Ils passaient ensemble des jours et des nuits vides où ils échangeaient leur corps, mais férocement comme on donne de la chair à manger. Ils étaient malsains, sans aucune noblesse. Isabelle-Marie les jugeait pleins de vices, répugnants. Car, au plus sacré d'elle-même, Isabelle-Marie était comme son frère: un être de pureté instinctive.

IX

— Il est minuit, Lanz... Et Patrice n'est pas rentré.

Lanz avait accroché sa canne au creux de son coude. Il fumait sous les lampes et son visage était frappé de gris, tourmenté dans son élégance. Il ouvrait la bouche, crachait des bouffées, et ses dents blanches paraissaient trempées de salive.

— Attention, attention à cette case, Louise.

Il se renversa, la barbe éclairée:

— Oh! Maladroite, que fais-tu là? Mais tu n'apprendras jamais à jouer.

Louise, une moue d'enfant sur son visage peint, balançait sa main au-dessus de l'échiquier. Elle n'était ni intéressée, ni habile. Lorsque les lampes montraient l'une de ses joues, la veine qu'avait remarquée Isabelle-Marie contractait toute la chair.

Du revers de sa main, Louise cachait cette joue.

— Un petit effort... Louise.

— Tu es toujours vainqueur. À quoi bon?

Elle trembla de sa paupière finement dessinée, fixa l'horloge.

— Plus que minuit, et Patrice...

Lanz se révolta:

— Patrice, toujours Patrice!

Et plus bas:

— Louise, mais que fais-tu là? Tu ne sais pas jouer?

Elle plissa le nez, chercha comment jouer pour lui plaire, mais elle ne réussissait que des grimaces.

— Non, non, pas ainsi, supplia-t-il, la fumée au coin des lèvres.

— Je suis inquiète de mon fils; je voudrais aller le chercher. Il est si imprudent, tu sais.

Il se leva, quitta brusquement la pièce et referma la porte de la chambre derrière lui.

— Lanz!... Lanz!...

Elle le suivit, troublée. Elle entra. Ils se regardèrent méchamment, ingrats, chacun d'eux retrouvant sa proie. Eux qui dormaient l'un sur l'autre ne se reconnaissaient pas. Ils étaient des amants étrangers.

— Lanz, que veux-tu donc de moi?

Il ne parlait pas. Il se cabrait près de la fenêtre, griffait les rideaux de ses doigts de danseur.

— Lanz, je pense à mon fils parce qu'il est à moi. Je l'aime.

Elle s'interrompit, tendit son cou léger. Au bruit qu'elle entendit, elle crut qu'on renversait la table et reconnut le pas de Patrice quand il était en colère. Oui, Patrice revenait. Il pénétra, le regard violent, les vêtements déchirés. Il fixait le couple interdit, un fouet à la main et de voir un fouet dans cette main d'enfant, ils se sentaient embarrassés.

— Mon grand, d'où viens-tu?

Patrice se souvint que, lorsque sa mère vivait seule dans cette même chambre, elle disait: «Mon grand, d'où viens-tu?» Mais la voix n'était pas aussi douce, obscurément douce.

— Regarde ce grand gosse tout plein de boue, cria-t-elle en riant, mais elle riait d'un rire bref qui sonnait l'effroi.

— Déposez votre fouet, ordonna Lanz, imposant sa canne d'or sur le bras de l'innocent.

Patrice n'avait pas même l'intention de fouetter. Il entrait, humilié, assoiffé d'un breuvage qu'il ignorait. Il regarda la canne d'or osciller le long de son bras et cette canne d'or l'enragea. Il eût crié, pleuré, mais les cris ne se détachaient pas de lui. Il hésita à respirer, puis son regard retomba sur la canne. Il fut possédé par l'envie de tout briser dans cette chambre où il reconnaissait la peur, comme le soir de la fête, lorsqu'il avait éparpillé le désastre de verre.

— Patrice, comme tu es pâle!

— Sortez de notre chambre, Patrice.

— Patrice, mon grand...

— Sortez, Patrice.

Tout à coup, Patrice fit bondir la canne d'or, repoussa le bras de Lanz. En proie à une passion qu'il ne pouvait retenir, il fouetta le grand corps mâle qui le narguait près de sa mère. Lanz sauta sur lui et il s'empara du fouet. Patrice ne résista pas. Lanz le colla au mur et emprisonna la jeune nuque de son coude. Patrice hurlait comme pendant ses délires. Louise tremblait de surprise.

— Ah! Lanz, pourquoi, Lanz?

Aveuglé, possédant enfin cet enfant tant chéri de Louise, Lanz fouettait à son tour. Après plusieurs coups, il soupira, haussa les épaules:

— Je suis votre père, Patrice, ne l'oubliez pas. Je le remplace auprès de vous. Sortez, maintenant.

Louise vit avec satisfaction qu'il n'avait pas touché au visage, que seule l'épaule avait été meurtrie. Elle se jeta contre son fils. Patrice pleura sur sa poitrine.

DEUXIÈME PARTIE

«Ma demeure est enlevée et emportée
Comme une tente de bergers.»

Livre d'Isaïe

I

Patrice erra le reste de la nuit.

Il marchait sans rêver, sans penser, sans vivre, et pourtant le choc le faisait encore trembler, comme l'homme sauvé du danger des flots et qui sent toujours en lui le combat de la mer. Il vagabondait de sous-bois en sous-bois, assouplissant ses membres comme un saltimbanque.

Le ciel se préparait à la tempête et il faisait plus chaud. Deux corps jeunes traversèrent soudain les arbres comme une lune fuyante... Aussitôt, le doute aiguisa le visage de Patrice. L'idiot se coucha, cœur battant. Il reconnut la voix de sa sœur et une autre voix, celle d'un garçon, à peine une voix d'homme, qui riait dès qu'elle finissait de parler. Patrice dissimula sa tête dans un tas de feuilles, faisant des mouvements de bras comme un nageur. « Isabelle-Marie, murmura-t-il... Isa-belle... »

Elle riait. Il ne l'avait jamais entendue rire si spontanément. À la maison, le rire d'Isabelle-Marie stupéfiait. Mais cette nuit, il enchantait. Patrice mordit dans une écorce et la déchira de toutes ses dents. Ce geste de mordre l'apaisa.

Il s'allongea dans la nuit. Un oiseau cria et nul cri ne lui répondit. L'oiseau s'envola, effleurant le bras de Patrice comme une bouche de femme. Patrice imagina le lac où il pourrait tremper son front mais le lac était trop loin. Il avait mal. Bientôt l'aube éveillerait toute la pourpre du monde, mê-lerait la blancheur aux ombres. Les fermes ou-vertes répandaient déjà l'odeur de la paille. Patrice roula sur son autre flanc. Il souriait béatement, la joue serrée contre la main. Il respirait vite.

* * *

— Isabelle-Marie, tu n'as pas vu ton frère?

— Non, mère.

Louise n'osait pas entrer tout à fait dans la chambre de sa fille. Vêtue d'une robe de nuit rose, son visage était atrocement pâle, comme au sortir d'un évanouissement. La maladie crevassait sa joue.

— Pourquoi ris-tu, Isabelle-Marie?

— Je ne puis donc rire, moi?

Sa mère parlait d'une voix angoissée:

— Isabelle, je suis très inquiète de Patrice. Que se passe-t-il? Est-ce parce que j'ai épousé Lanz?

Isabelle-Marie, assise devant un miroir, avait l'air de ricaner au fond de son corps. À la voir, troublante et brusque, on eût dit une sorcière sans gencives.

— Que faisais-tu dehors, cette nuit?

— Rien, mère.

Louise reprenait, avec son austérité feinte, l'expression de sa haine envers cette fille qu'elle méprisait. Elle posa sa main glacée sur l'épaule osseuse d'Isabelle-Marie:

— Et ne mens donc pas. Cette nuit, tu n'étais pas ici, et, le jour, tu travailles peu à la ferme, Lanz me l'a dit.

Isabelle-Marie rejeta la tête en arrière. Ainsi retournée, elle pouvait suivre l'éclosion de la cicatrice, le chemin de douleur de la plaie près de la tempe où se débattaient les yeux discrètement pervers de cette grande femme qu'était sa mère.

Si, simplement, Louise eût osé aimer sa fille, Isabelle-Marie eût grandi sans méchanceté. Elle était devenue cynique en refoulant la passion qui la sous-tendait. La perversité était, chez elle, une seconde nature comme chez ces êtres doubles qui ont une vie, le jour, et une autre, plus effrayante, la nuit.

Hélas, Louise avait beaucoup vieilli depuis quelques jours. Elle n'avait plus qu'à vieillir, pensait Isabelle-Marie.

— Pauvre Lanz, s'écria la jeune fille.

— Il est mon mari.

— Tant pis pour lui, et tant pis pour toi, mère.

La main serrait l'épaule frêle. Les ongles pénétraient. Tout le mépris de Louise pour sa fille giclait comme du pus au bout des ongles.

— Où étais-tu cette nuit?

— Mon chien était malade. Je l'ai soigné.

— Tu mens.

Louise arracha sa main de l'épaule, de cette chair de sa chair. Puis elle sortit, raide et droite. Tout au long de la maison, elle appela: «Patrice... Patrice...» et enfin retourna à sa chambre où l'attendait Lanz endormi. Arrêtée sur le seuil, pour la première fois, elle éprouva de la honte devant elle-même et devant cet homme qui dormait, comme si elle l'eût trouvé gisant sous sa propre peau. Lanz gardait son sourire mesquin. La chambre échangeait la moitié de son ombre avec le jour qui se levait. L'invasion de la lumière par les persiennes mettait des touches de blanc et de noir sur le lit. Sa canne d'or pendue au bras, Lanz se soulevait en dormant et sa longue main valsait avec ses respirations.

Il s'était endormi dans son attitude de dandy. Il pensait, buvait, mangeait et dormait dans cette attitude, jeu qu'il accomplissait automatiquement comme on arrive à s'imprégner d'un vice plus solitaire. Lanz aux ongles propres, aux souliers vernis, dormait tout habillé dans sa perfection ennuyeuse.

Louise éprouva du dégoût devant lui. Pourtant, elle se pencha, le dévêtit, retrouvant son haleine dans la bouche de cet homme. Prise de vertige, elle s'écarta et, pour se distraire, s'occupa d'elle-même, de soins de beauté.

— Voyons, j'ai les prunelles dilatées. L'inquiétude, sans doute.

Et la banale poupée tremblait.

— À la joue? Qu'est-ce?

À la joue, c'était la meurtrissure, tel un deuil de lèpre, la tache connue qui risquait de l'anéantir. Elle passa une crème sur cette joue mais le mal l'empourpra.

— Il ne me reste, en somme, que Patrice. Lanz, je ne l'aime plus.

Lui-même, l'aimait-il encore?

— Maintenant qu'il a épuisé tous mes charmes, je ne sais plus lui plaire.

«Mais, pensa-t-elle, Patrice est beau. J'ai Patrice.»

Elle se couvrit d'un manteau de pluie, dénoua ses cheveux et se dirigea vers le bois. Il pleuvait beaucoup. Elle fut mouillée et l'eau tissait sur ce corps long un aspect de misère.

— Patrice! Patrice!

Elle surprit enfin son fils couché dans l'herbe mouillée. Elle le secoua et une ardeur tragique la pressait.

— Mon grand, mon grand.

Il ouvrit les yeux, et on eût dit qu'il s'épanouissait sous les larmes de sa mère.

— Tu n'es pas prudent, lui dit-elle d'une voix tendre et pauvre, surtout après tes fièvres.

Patrice l'étreignait, la suppliait de le protéger, en des mots si rapides qu'elle ne pouvait les comprendre. Il disait qu'il avait peur, qu'il voulait mourir.

— Patrice, qu'est-ce que tu dis? Lanz? Mais il ne voulait pas te blesser.

Elle lui prêta son manteau. Un moment, elle inspecta le visage de son fils. «Il ne me reste que cet enfant, que ce visage... que ce visage...» Et son cœur éclatait de solitude.

Ils rentrèrent en silence. À la maison, on dormait d'un sommeil funèbre.

II

Entre-temps, Isabelle naissait à l'amour de Michael. Elle serrait des roses entre ses dents et ses jambes chétives lui étaient moins amères. Michael et la jeune fille dévalaient les montagnes en riant aux éclats. Isabelle-Marie butait et obligeait Michael à la transporter. Tout cela, pour mieux se sentir voguer dans des bras devenus deux rames de chair.

— Tu ne sais pas où nous allons? Alors, tant mieux. Il y a deux écureuils à gauche. Écoute...

Elle regardait.

— Mais oui, deux écureuils. Tu devines tout.

Il aimait savoir Isabelle-Marie si unique, si belle, surtout contre lui. Il mordait dans son cou et s'émouvait de son rire vierge.

— Répète-moi que tu es belle. J'ai tellement envie que tu sois belle.

— Je suis belle. Je suis belle.

— Qu'est-ce que tu as à trembler tout à coup?

— Rien. Laisse-moi marcher maintenant.

— Et ta cheville? Tu m'as dit qu'elle était blessée.

— C'était pour t'effrayer.

Il obéissait. Il se laissait conduire par la main de l'amie. Isabelle-Marie essuyait des larmes qu'il ne voyait pas.

— Nous nous marierons ensemble?

— Espèce de fou! Tu n'as pas vingt ans et, avec ces cheveux de neige, tu n'es pas un mari mais un enfant.

Michael levait son visage vers le ciel, pour lui obscur et fermé. Il respirait et son visage accusait l'intensité d'un voyant.

— Est-ce que le monde est beau?

— Cela lui arrive.

— Sûr que je sais qu'il est beau! Je l'écoute. Et il sent si bon.

Il sautillait, caressait la chevelure d'Isabelle-Marie qu'il croyait blonde parce qu'elle était douce.

— Tiens, nous sommes à l'endroit où des hommes ont chassé la perdrix.

— Oui, hier.

Il avait reconstruit en lui le monde extérieur. Il pouvait expliquer une marguerite mieux que celui qui l'effeuillait.

— Il y a du blanc autour parce que tout ce qui est délicat est blanc, puis de l'or au milieu.

— De l'or au milieu, Michael. Tu as raison.

Il était un peu sauvage, ardent, et la flamme se mêlait à lui comme la grâce accordée aux enfants. Aveugle, il vivait comme dans un cloître mais il parlait si bien de la vie des animaux, du vent, des saisons qu'on ne pouvait douter de sa lumière. Isabelle-Marie l'aimait. Elle demandait de pouvoir l'aimer sans le blesser. Vivant si près l'un de l'autre, ils ne pensaient ni à la chair ni au désir. Ils avaient tout l'espace pour jouer et courir. Toutefois, de grands combats les menaçaient. Vint un jour où le corps se lève emporté par un désir si pressant que la raison elle-même en reste lourde et muette. Ce jour, les enfants l'attendaient en riant.

III

— Isabelle, Isabelle, je veux boire à la source.

— Il faut d'abord me dire quel temps il fait et de quelle couleur est le ciel, exigeait Isabelle-Marie, caressant la main du jeune homme de son poignet.

Il méditait, écoutait, les yeux grands et beaux.

— Le soleil est très chaud et le ciel est d'un bleu mourant.

— Un bleu mourant?

Elle riait:

— Tu as de ces idées! Tu as gagné. Je te donnerai toute la source pour boire.

Il se léchait les lèvres de plaisir.

— Tu me feras aussi boire dans tes mains?

Elle le laissa courir jusqu'à la source. Il se pencha et sa tête blanche perlait sur l'eau comme une belle tête de vieillard angélique.

— Tu bois trop.

— Je t'en prie, encore un peu.

Il enfouissait parfois tout son visage dans l'eau sereine et il s'étirait ensuite, sentant bon le foin. Ce matin-là, il ne regardait pas Isabelle-Marie de la même façon et elle s'en inquiéta.

— À quoi penses-tu, Michael?

— Je te verrai bientôt. Je sens que je te verrai bientôt.

Elle asséchait le visage de son ami dont elle plongeait la tête au creux de sa robe. «J'oublie Patrice», pensait Isabelle-Marie.

— Isabelle!

Michael prononça tout à coup son nom comme quelqu'un qui a envie de hurler. Isabelle-Marie trouva cette voix semblable aux tristes cris de Lanz et de sa mère, dans leur chambre. Elle eut froid.

— Je voudrais rentrer, Michael.

— Isabelle, Isa qui est belle.

Il serra son bras d'une main et sa taille de l'autre. La main qui cherchait à dévorer la taille des doigts était plus chaude.

— Que veux-tu donc?

Elle se délivra mais le garçon s'agitait, la ressaisissait, et elle tomba à genoux devant lui. Elle manqua de respiration à ce moment, sentit un étrange goût de pleurer.

— Dis, que veux-tu, Michael?

Elle parlait vivement, craignant le halètement qui gonflait la jeune bouche.

— Tu sais, dit-elle, il y a beaucoup de jeux. Je ferai la biche comme hier et toi tu devras deviner mon langage; ou bien un oiseau... Tiens, je vais jouer au cygne et tu devras m'imaginer au fond de ton cœur.

Il était sourd. Il resserrait l'étreinte.

— Qu'est-ce que tu as, Michael? Hier, tout était doux. Aujourd'hui tu es différent. Pourquoi, Michael?

Il soupira.

— Sais-je moi-même ce que je veux?

Il se penchait vers le cou d'Isabelle-Marie, un geste qu'il répétait souvent. Mais cette fois il se penchait comme pour mordre.

— Tu me fais mal.

Le garçon parla en homme et tout son visage changea de chair.

— Ce que je veux c'est t'avoir sur le cœur, couchée sur moi.

— Tais-toi, trancha-t-elle.

— C'est toi que je veux.

Elle se leva pour s'enfuir mais il l'empoigna de sa main fiévreuse qui craquait.

— Viens sur mon corps de tous tes membres, Isabelle-Marie. Sois sur mon corps, je t'en conjure, je te désire.

Elle se crispait, pleurait, un bras sous la joue.

Il l'embrassa vite à la nuque.

— Tu ne veux pas m'appartenir?

Elle ne répondit pas.

— Isabelle, je suis un paysan. Je suis ignorant comme du sable mais je t'aime. Non, je ne te ferai pas mal.

Elle regarda autour d'elle, se mordit les lèvres comme pour se féliciter et se punir à la fois.

— Les chats m'ont encore suivie, dit-elle, ah! si tu les voyais se tordre dans les fleurs, se griffer.

— Isabelle-Marie, viens... viens...

Elle ne répondit pas.

— On dirait que tu pleures.

Il fit voyager ses doigts tout au long de sa joue anxieuse.

— Mais oui, tu pleures.

L'orgueilleuse s'anima: «C'est l'eau de la source.»

— L'eau de la source n'est pas si salée.

— Je veux rentrer. Mon frère est malade... et...

Il la retenait à l'arbre de tout son poids.

— Marions-nous demain.

— Oui, demain.

— Je te donnerai la petite maison près du lac.

— Et moi je te donnerai mon corps.

Son rire fusa à travers ses larmes. Enfin elle sanglota, abandonnée à l'épaule nue du garçon. Elle sentait qu'une partie des «jeux» allait prendre fin. Tout serait tellement grave désormais. Tout ressemblerait à Louise, à Lanz, à l'immense tragédie qu'ils déployaient tristement. Elle mordit l'épaule de Michael qui en frémit.

Il se remit à boire, agenouillé près de la source, buvant avec délire comme on boit à vingt ans.

À son tour, elle but les gouttes sur son visage mouillé. À midi ils partagèrent les grappes de fruits comme leurs baisers. Ils s'exclamèrent de vitalité en écoutant les oiseaux, puis trempèrent le pain dans l'eau fraîche.

Le doux repas de fiançailles...

IV

Le lendemain les Livani donnèrent une fête à la ferme pour les nouveaux époux. On dansa jusqu'à l'aube. Louise se réjouissait de perdre sa fille. Elle l'avait hypocritement habillée, ravie de pouvoir ainsi désarmer les observations lucides d'Isabelle-Marie, la vierge monstrueuse. Mariée, Isabelle-Marie se tairait, âme et visage. Elle l'encouragea donc et Lanz, de son côté, se félicita de voir disparaître un censeur gênant.

— Encore un peu de temps, Isabelle-Marie, et je te verrai, disait Michael.

Elle frémissait.

Après leurs noces ferventes et les cérémonies pleines de rires pathétiques comme des rires d'adieu, les époux retournèrent à la source d'où ils pouvaient entendre le chant des enfants Livani, de cette famille immense, compacte comme un corps de glaise. Ils recommencèrent leurs jeux d'autrefois, Isabelle-Marie décourageant Michael dans les courses qu'ils faisaient en se tenant par la main, et Michael se montrant plus souple autour de cette autre chair qu'il ne voyait pas.

— C'est une fauvette que tu entends. Ah! Le petit écureuil à queue blanche va bondir.

— Qui te dit que sa queue est blanche?

— Moi, dit-il, toujours moi.

Il s'allongea près d'elle, la tête contre son ventre. Il écarquilla les paupières. Ses yeux noirs d'adolescent invitaient comme deux bouches. Les enfants répétèrent leurs gestes de camaraderie jusqu'à minuit.

— Il fait complètement noir, disait Michael, ouvrant ses bras.

Il savait discerner le jour et la nuit. De gros oiseaux pâles s'unissaient au-dessus du lac tiède puis ils atteignaient le sable. Michael secouait sa tignasse en riant: «Encore des oiseaux qui ont oublié de se coucher dans le soleil.»

Le animaux de la forêt travaillaient plus fort dans l'ombre. Ils se rassemblaient et pour se connaître, se plaignaient. Les genoux serrés, l'un contre l'autre, Isabelle-Marie et Michael songeaient, un peu troublés, qu'on les avait sacrés «époux» le matin même.

Cette nuit, le garçon ne devait pas la reconduire à la maison de Louise où Lanz patientait sous les lampes, où Patrice regardait le mur avec une nostalgie égarée, une mélancolie d'homme qui ne sait jamais pourquoi.

Ils revinrent en silence.

Pendant ce temps, Patrice, furieux contre tout, contre Louise qui n'était plus Louise «pour lui seul» depuis l'arrivée du dandy, Patrice trépignait de sauvagerie. Il n'avait pas oublié le fouet de Lanz. Dans ses rêves, la scène jaillissait, grotesque et tragique. À part sa fréquentation des bois et des chevaux, Patrice vivait seul dans sa chambre, devant ses miroirs. Mais il se lassait de lui-même. Il n'avait plus aucun goût pour ses propres traits.

Depuis son enfance, l'idiot avait beaucoup imité sa mère. Louise se maquillait. Il jouait donc lui aussi à frémir sous les couleurs. Or cette nuit il eut l'idée de transformer son visage en visage de démon et il chercha longtemps une expression démoniaque en se martyrisant les joues. Il se rendit monstrueux; il eut devant lui, non plus la Belle Bête, mais la Bête. Alors une peur immense se saisit de lui. Il se rua sauvagement sur cet être immonde qui lui faisait face...

— Lanz, dit Louise à son compagnon, qu'arrive-t-il dans la chambre de mon fils?

Lanz, d'une voix nonchalante, railla:

— Rien. Il brise des verres.

Louise accourut et, le ruban de sa résille éclatant soudain, tous ses cheveux roulèrent.

— Oh! Patrice, mon grand, tu as cassé le miroir.

* * *

Patrice errait dans la maison d'Isabelle-Marie et de Michael. Au moins Isabelle-Marie, elle, l'appelait: «Ma toute Belle Bête», en caressant ses cheveux. Au moins Isabelle-Marie se préoccupait de son existence. Quand Isabelle-Marie le voyait délabré, elle lui promettait des vêtements chauds, nets, et il attendait plein de candeur comme un enfant attend la naissance d'un miracle.

Il était entré, sans bruit, pieds nus, des taches un peu partout sur ses vêtements.

On entendait gronder le lac. Les lampes louchaient et allongeaient un rayon le long du morceau de pain frais, des fleurs en train de se flétrir, et des deux verres à champagne. Patrice guettait le craquement de ses pieds nus. Alertés par l'attention, les muscles vibraient dans son visage. Les sports innocents avaient allongé Patrice: un duvet blond naissait à son menton et à ses joues, et l'on pouvait se demander, en le voyant, comment cet enfant pouvait bien devenir un homme.

Patrice s'amusait à sentir le plancher craquer sous ses talons. Il s'animait à tout ce qui était physique, fiévreux. Il rit dans ses mains pour se soulager de son plaisir. L'odeur du champagne dans les verres, le parfum du pain blanc: ces délices le reposaient. Il approchait maintenant de la chambre des époux. Il murmura:

— Isabelle-Marie. Isabelle-Marie.

Inerte devant la porte qu'il hésitait à ouvrir, il pensait à la chambre de sa mère. L'horloge fit grincer deux coups en retard. Il pénétra. La nuit de la chambre lui donna tout de suite l'envie de boire.

Les époux dormaient. Le pied de Michael émergeait des lueurs des draps, calmement. Patrice se serra contre le mur. Tout bourdonnait dans son front, le fouet, la main de Lanz, ses gants, le pain caché par Isabelle-Marie, son visage, l'eau.

Il soupira, crut qu'il rêvait comme rêve un noyé s'imaginant qu'il ne mourra pas tout à fait. Isabelle-Marie et Michael avaient sans doute beaucoup travaillé de leurs corps pour dormir d'un sommeil aussi assouvissant. Rare, très rare sommeil de la vie! Leurs vêtements traînaient dans la chambre, ainsi que des chapeaux de paille, encore brûlants. Couchés, les époux-enfants se tenaient simplement par la main comme prêts à se lever, à recommencer leurs jeux de plein air. Seules les têtes restaient unies, égales, glissant parfois l'une contre l'autre, d'un même rythme.

— Isabelle-Marie, je suis blessé, oui, au genou.

Patrice implorait timidement un être qui ne vivait déjà plus pour lui.

Les époux-enfants dormaient. Patrice se lassa, caressa son genou d'une main vague. Il entendait Isabelle-Marie respirer et Michael qui respirait au-dessus d'elle. Pourquoi Patrice tremblait-il? Peut-être, était-ce le désordre de la chambre qui lui rappelait les taillis en deuil, à l'automne?

Isabelle-Marie se réveilla vivement. Elle écarquilla les yeux, s'appuya sur son coude gauche:

— Patrice, que fais-tu ici?

Elle restait obscure pour Patrice, surprise en plein rêve. Soudain, il se méfia de sa sœur et sortit. Le bois le réchauffa, il oublia son amertume. Mais il ne s'endormit pas. Son genou lui donnait un mal aigu et il le serrait entre ses paumes ou contre sa joue. Il ne délirait plus. À quelques pas de lui, des chats se battaient, se criaient leur terrible amour.

Leurs gémissements haletaient, rauques, impitoyables comme des spasmes de mourants. Le mâle étreignait la femelle et l'expression de ses grands yeux châtiés variait de l'animal à l'humain et de l'humain à une révolte impossible, close, morte. Les yeux de Patrice étaient de ce même vert, mais non troublés. Il guettait peureusement cette lutte des instincts, ces affrontements de la chair, inquiet de tant de lamentations. Il ne pouvait intervenir et délivrer la chatte du poids de toutes ces griffes, car la chatte désirait les enserrements et la morsure du mâle pour se fondre en lui. Elle avait besoin de ces déchirures pour mieux savourer ses voluptés, plus douloureuses encore. Quelle dureté chez les bêtes! Quels secrets de résistance farouche! Ces chats goûteraient-ils le profond repos que révélaient les visages de Michael et d'Isabelle-Marie?

Patrice frémissait sans rien comprendre. Il éprouvait vaguement qu'il était de la même race que ces «Belles Bêtes». Il mordait comme elles et gémissait à leur façon puisqu'il ne pouvait s'exprimer en homme et qu'il s'acharnait aux courses avec l'opiniâtreté physique des bêtes.

Enfin, la femelle se délivra.

Patrice sombra dans le fond de lui-même, au plus creux de son néant.

V

Le jeu d'échecs ramenait Louise et Lanz sous les lampes. Louise se maquillait de plus en plus, cherchant à masquer cet affreux stigmate à sa joue. Louise errait dans son âme vaine, et Lanz poursuivait sa monotone perfection de dandy tout en gardant son cœur opaque et son regard de chauve-souris. Patrice qui craignait ce regard rêvassait de solitude dans sa chambre.

Louise eût voulu revenir à ce fils bien mal-aimé mais elle se croyait démasquée au centre de son hypocrisie. Elle fuyait de plus en plus le jugement de Patrice, bien que Patrice — elle ne pouvait l'ignorer — n'eût aucun jugement.

— Prends un peu de pain, disait Louise à Patrice, tu ne manges pas.

Mais il n'écoutait point et baissait un visage muet. Puis il coupait lui-même son pain, le pouce chaviré dans la mie.

— Patrice, offre du pain à Lanz.

Lanz restait toujours lié à la canne d'or. Elle magnifiait son apparence d'ange riche, lui prêtait allure de noblesse.

— Patrice, allons, mon grand!

À table, Louise se torturait au sujet de son fils sans qu'il s'en doutât. Elle rougissait et tremblait en mangeant: «Ne jamais perdre Patrice, ne jamais perdre sa beauté.»

Lanz posa sur elle un regard glacé de reproche. Elle sourit, ils sourirent ensemble mais, tous deux, d'une seule lèvre.

— Isabelle-Marie, murmura Louise distraite, revoyant tout à coup, dans son esprit, sa fille près d'elle, comme autrefois, brandissant le couteau comme pour la déchirer.

La place d'Isabelle-Marie était vide. Louise se tut aussitôt, ses longs doigts à fleur de lèvres. D'ailleurs, un rien de vanité délivrait Louise de ses drames. Elle se couvrait de bijoux, car il fallait beaucoup de bijoux et beaucoup de fard pour cacher la couleuvre qui rampait sur sa joue. Le poignet fin était toujours très orné, comme le cou dont le collier cachait des rides.

Patrice sortit avant la fin du repas. Dès qu'il fut dehors, les mouches collèrent à sa peau.

Le garçon marchait, indifférent, déjà oublieux de ce qu'il avait ressenti.

Il enfourcha son cheval, respira fortement, ses bras devenant de bronze, le dos arqué, sa belle bouche ouverte et ses dents étincelantes comme si une larme de femme brillait sur chacune d'elles. Un homme? Un enfant parmi les hommes? Un homme libre qui ne savait d'où venait sa liberté ni comment l'utiliser? Ce dieu mélancolique allait-il traverser le coucher de soleil qui s'étalait devant lui comme un lac rouge? Il avait l'air si près de tout, tandis qu'en lui l'esprit battait si faiblement, qu'il n'animait pas le vide morne de son être.

Le cheval s'impatientait, tendait la crinière, battait du sabot. Il partit enfin, Patrice cramponné à son cou.

— Plus vite! Plus vite!

Les sabots écrasaient les fraises juteuses qui lançaient des taches écarlates sur le poitrail de la bête endiablée.

Un délire nouveau s'emparait de Patrice, son regard se muait en regard de fauve. Il se mordait les lèvres à en pleurer, et ce cavalier en larmes, débridé autant que sa bête, dévastait tout en passant.

Peut-être que, plongé désespérément dans sa course, Patrice y recherchait le personnage qu'il aurait pu être. Il avait le goût des miroirs... Patrice s'enivrait et sa bête, à la dérive, eût pu le précipiter dans le lac, qu'il ne l'eût point retenue.

Tout à coup, il crut distinguer Louise et Lanz étroitement enlacés qui fuyaient entre les buissons.

— Plus vite! Plus vite!

Le cheval, soûl de vitesse, fonçait, se brisait vers l'infini. Oui, courir, courir, encore et mourir au bout de la course, en pleine passion.

Épouvantée, Louise regardait venir le cheval droit sur Lanz. Elle tenta de saisir le bras du dandy, mais elle ne pressa que la canne d'or contre son flanc. Lanz, étourdi par l'horrible vision qui le menaçait, reculait en hurlant, perdant d'un seul coup sa superbe.

Louise hurlait:

— Patrice, Patrice, arrête!

Ces cris s'égaraient dans l'espace comme une marée. Louise s'effondra. Lanz avait été renversé. Il gisait, étendu près de la source, poitrine écrasée, morne, terrassé, tandis que le cheval disparaissait au loin, ébloui, laissant Patrice près de la victime.

La source coulait plus vive que jamais.

Patrice se releva, éclata niaisement de rire, d'un rire qui sonnait tragique au milieu de cet énorme silence de mort. Interdite près de son mari, Louise ne respirait plus, atteinte cette fois, jusqu'à l'âme. Lanz geignait: «Louise, Patrice, j'ai peur de mourir.»

À demi prostré, la tête en rond, Patrice ne regardait rien.

Il fixait le néant lointain des idiots.

La voix continuait de geindre: «Patrice, je ne veux pas mourir.»

VI

Comment un être aussi vain pouvait-il rendre l'âme? Lanz se sentait devenir froid, lui qui n'avait jamais songé à la mort ni à l'esprit-mort, lui qui n'avait pour dieu que ses habits, ses femmes, les bijoux de Louise et la canne d'or.

Tout meurtri, le dandy avait envie de pleurer. «Je ne veux pas mourir», répétait-il, recouvert de boue et de sueur. De sa main tendue il s'agrippait à la canne d'or tandis qu'il perdait son sang. Mais elle lui glissa des doigts et le ruisseau emporta la canne d'or comme un colifichet de fête passée.

La voix mourante répétait: «Patrice...»

Étranger à la tragédie qu'il venait de provoquer, Patrice suivait du regard la canne d'or qui s'enfuyait comme un glaive en fusion. Il vit aussi, d'un œil indifférent, la perruque de Lanz qui quittait son crâne. Il n'avait jamais remarqué que Lanz eût une perruque. Elle alla s'engluer dans une flaque de sang.

Lanz se décomposait avant de mourir.

Louise s'abattit sur lui, berça sa tête entre ses mains, soigna ses blessures d'une main grave, enfin humaine. Les mains de Louise, si délicates qu'elles fussent, étaient bien rarement «humaines».

Elle pleurait, pleurait. Quand elle releva son visage humilié de sanglots, elle comprit que Lanz était mort. Elle jeta d'abord sur Patrice un regard maléfique, puis un regard angoissé qui disait:

— Patrice, il ne me reste que toi.

Au même moment, le soleil, agonisant lui aussi, ouvrit sur toute la forêt un feu torrentiel.

Lanz dormait, le cœur ouvert. La canne d'or était partie au fil de l'eau.

* * *

Après ce drame, Patrice se réfugia dans ses silences d'enfant morose. Louise, vêtue de noir, n'allait plus au bois. Souvent, elle passait la nuit immobile devant le jeu d'échecs, veillée par les lampes qui lui suggéraient le gesticulant fantôme de Lanz.

Mais bientôt, Louise renaquit à la vanité. Plus que jamais elle s'accrocha à la présence de son fils. Elle lui parlait et il ne semblait pas l'entendre. Elle l'interrogeait sur la course, sur la nature, sur les plantes. Patrice dormait derrière son corps. À bout de moyens et de caresses, elle prenait entre ses mains le visage de l'adolescent et disait, lentement effrayée:

— Patrice, tu ne reconnais pas ta mère?

Petit à petit, le ton des paroles suaves le gagnait. Sa tête retrouvait son ancien refuge, l'épaule de Louise, et ne bougeait pas, les yeux clos sur un mystère innocent.

— Pourquoi as-tu voulu tuer mon mari, Patrice? Ah! je t'ai bien vu... Tu pressais du talon le ventre de la bête et tu la poussais au délire.

En vérité Patrice ne se souvenait pas ou si mal de la crinière hérissée, de la canne d'or, de son genou distendu par la douleur, et de la perruque, oui... la perruque.

Tout se mêlait dans sa mémoire d'idiot, boîte démontée, sans ressort.

— Patrice, ne fais pas le sournois. Je lis dans tes yeux. J'ai toujours lu dans tes yeux. Dis, tu voulais tuer Lanz depuis longtemps... hein?

Même en parlant ainsi, sa voix n'était pas tellement vengeresse. Elle caressait la tête blonde et, malgré son amertume, s'efforçait de sourire piteusement. La veine stigmatisait de plus en plus sa joue, et l'on devinait, à ses paupières meurtries, qu'elle avait beaucoup pleuré pendant la nuit.

— Vraiment, Patrice, tu n'es pas raisonnable. Tu voulais être complètement mon fils, n'est-ce pas? Mais tu sais bien que je ne voulais pas que tu aies de peine.

Il murmura dans son corsage: «Courir... Courir encore!»

Elle appuya Patrice à son épaule où il était comme un noyé cherchant le rivage.

— Personne ne saura que tu as voulu tuer Lanz. Moi aussi, j'oublierai.

Sans la soulager, les larmes dévastaient sa joue. Les larmes bouleversaient toujours Patrice, et surtout quand il les voyait sur le visage de sa mère. Il l'étouffa presque en sanglotant:

— Ne pleure pas, je te défends de pleurer.

Mais il ne comprenait plus ce qu'il disait. Les pleurs, le secret de cette épaule qui le couvrait, les bras chauds autour de sa tête, toute cette étreinte l'étourdissait. Aimé et méprisé à la fois il se blottissait davantage.

— Mère, je te défends de pleurer.

Louise cligna des paupières et ne dit rien.

VII

Lorsque Isabelle-Marie apprit la mort de Lanz elle éprouva tout autre chose que du chagrin. Elle avait tellement exécré cet être odieux pendu au cou de sa mère comme la réplique mâle de ce mannequin de chair qu'était Louise! Elle était maintenant heureuse. Isabelle-Marie ne doutait plus d'elle-même ni de sa beauté fictive. Elle ne disait plus: «J'ai les yeux lilas.» Elle le croyait. La gourmandise dans le mensonge finit souvent par suggérer la saveur réelle des choses. Elle s'acharnait à connaître l'âme et le corps de son mari, à prolonger sa ferveur de jeune amant. Dans une tranquille certitude, elle vivait son rêve et se réjouissait en tout.

— Michael, tu dors? Debout! Je veux cueillir des cerises toute la matinée, avec toi.

— Il fait grand soleil, n'est-ce pas? disait Michael en s'étirant; ma jambe est toute chaude.

Un mutuel goût d'enfance les rapprochait dans leur chair et dans leur âme. Ils se redécouvraient sans cesse dans une ineffable candeur et n'entrevoyaient pas la possibilité de briser leurs liens. Ils s'étaient tout promis et ils s'étaient tout donné, les lèvres, les bras, le ventre, tout, dans leur première volupté pleine de cris.

— Lève-toi, Michael!

Elle riait contre sa poitrine en l'embrassant.

— J'aurai des enfants, Michael. Mais, sois-en sûr, j'aurai assez d'amour pour toi et pour eux.

— Est-elle belle Isa, aujourd'hui?

— Étincelante.

Il respirait sa chevelure, se levait, s'habillait par bouts, puis, à moitié nu, tout à fait oublieux de son infirmité, il affirmait son charme de jeune dieu sauvage. Pour eux, vivre ensemble, c'était vivre l'un dans l'autre en continuant les «jeux».

Isabelle-Marie écoutait l'âme de son frère-époux, de son frère-enfant, de ce grand jeune homme qui traversait naguère la montagne pieds nus et se taillait des flèches dans les arbres. Son instinct étonnait les autres et l'étonnait lui-même.

La vérité et la paix vivaient en lui.

*   *   *

Un matin qu'Isabelle-Marie se promenait avec Michael, elle le vit s'allonger, tenir un genou relevé pour y étendre l'aile d'un papillon.

— Michael, on ne tue pas les papillons.

Elle se souvint de lui avoir dit le soir du bal: «On ne tue pas les araignées.» Et il n'avait pas aimé cela.

— Laisse-moi tuer ce qui me plaît, dit Michael.

Isabelle-Marie retrouvait dans ce geste brutal et égoïste quelque chose d'elle-même quand elle dérobait le pain de son frère. Elle mordit les mains de son mari, prise de détresse tout à coup. Le papillon s'envola de ses propres voiles vers le soleil.

Choqué, Michael avança la tête d'un air menaçant mais elle le supplia de se radoucir.

— Michael, mon bien-aimé, tu as donc oublié que je suis belle?

Et elle continuait de caresser Michael pour apaiser sa colère.

— Tu couperas tes ongles, dit-elle gaminement.

Mais il s'était levé, marchait en butant partout.

— Michael, écoute-moi, écoute, j'ai une joie pour toi.

Le pied nu de Michael trébuchait dans l'herbe.

— Michael...

Soudain Isabelle-Marie eut un visage épanoui. Si Michael eût pu voir sa femme à ce moment-là, il l'eût certes admirée, tout incendiée de joie qu'elle était. Car un moment de beauté passait rarement chez elle.

— Michael, je serai mère. Un enfant beau comme toi sortira de moi.

Oubliant sa révolte il embrassa la robe d'Isabelle-Marie. Il demanda enfin, innocent d'allégresse: «Et pourquoi ne serait-il pas beau comme toi?» Il éclata de bonheur:

— Oui, il aura des yeux lilas, une bouche... Mais comment est donc ta bouche, Isa?

— Comme une douce corbeille entre mes joues. La nuit de mes noces, c'est toi qui me l'as dit.

VIII

Michael, que le sommeil avait jeté au dos de sa femme, s'éveilla en murmurant dans les cheveux d'Isabelle-Marie:

— Isabelle-Marie, notre petite fille pleure.

De sa main de jeune fille elle lui ferma la bouche et respira bien près de lui tandis que l'enfant pleurait à leurs côtés.

— Isabelle-Marie, si notre petite était malade?

Encore à moitié endormie, Isabelle-Marie se leva, chercha une bougie, berça l'enfant et, comme la petite ne cessait de pleurer, elle la prit dans ses bras, serrant la fragile tête contre sa joue, et fredonna une berceuse. Michael se tendit:

— Et alors?

— Ce n'est qu'un peu de fièvre.

— Elle est belle, ta fille, n'est-ce pas?

— Oui, comme toi.

Mais c'est à Isabelle-Marie que l'enfant ressemblait. Dès sa naissance, Isabelle l'avait trouvée plus monstrueuse qu'elle-même, et ce visage de l'enfant de son sang, affligé de la même laideur, et des mêmes traits labourés, la révoltait.

— Je me demande pourquoi elle a cette tache de sang sur la tempe gauche.

— Que dis-tu?

Elle ne répondit pas et Michael s'endormit.

Il pleuvait. On avait oublié d'attacher la barque. Elle s'éloignait au rythme du lac, sans bruit...

Michael tremblait en dormant.

Isabelle-Marie, humiliée, souhaita mourir pour n'avoir pas à souffrir de sa fille.

Et Michael, le corps dénoué comme celui d'un bûcheron au repos, tremblait, ayant l'air de nager sous les draps.

Isabelle-Marie sentit la bouche de l'enfant qui cherchait son sein. L'enfant pleura. Elle ferma les volets.

* * *

Michael, encore au lit, s'évertuait à cligner des paupières.

— Tu souffres, Michael? Qu'est-ce que tu as aux yeux?

Il frotta ses paupières de ses poings et Isabelle-Marie en eut peur. Elle se serra contre son enfant.

— Michael, lève-toi donc!

Il se roula quelques instants, comme pris de vertige. Le bas de son visage était plus dur que du marbre.

— Michael, ouvre les yeux, Michael.

Michael ouvrit les yeux. Il les écarquilla et, à sa façon de la regarder, Isabelle-Marie comprit qu'il voyait. Aussitôt elle eut honte. Elle se cabra au mur, les mains à la gorge comme pour s'étrangler. Michael était maintenant debout, mains tendues. Une contraction fantastique aiguisait son regard sur Isabelle-Marie.

— Isabelle-Marie, est-ce possible? Tu m'as menti? Dis-moi que je vois mal.

Elle sanglotait. Il s'approcha, saisit et desserra ses mains maigres. Il la regarda profondément, longuement, tandis qu'elle restait pâle de rage devant lui.

— Isabelle-Marie, tu es donc laide?

Elle s'abandonna toute, comme pour s'évanouir, et son visage tressaillit d'une douloureuse résignation.

— Oui, je suis laide.

Reculant d'horreur devant celle qu'il avait tant aimée «belle», fou de désespoir, il hurlait: «Menteuse! Menteuse!»

Sans bouger, elle lui dit plus bas:

— Tu vois par miracle, Michael. Moi, c'est par miracle que j'étais belle.

Il revint très près de sa femme et il se mit à la gifler. Elle restait muette et ne frémissait plus, car les coups la rendaient à son ancienne vaillance physique.

— Michael, va-t'en! Qu'as-tu à attendre?

Et, comme pour le défier, elle étalait devant lui son visage rougi où brillaient ses yeux noirs, plus noirs à cause des larmes.

— Va-t'en.

Mais Michael, se frottant encore les paupières, tomba à genoux près d'elle et pleura dans sa robe. Ensuite, il sortit sans la regarder.

*   *   *

L'enfant pleurait. Isabelle-Marie souffrait d'une si immense détresse de femme qu'elle ne l'entendit pas.

Vite elle habilla l'enfant et retourna chez sa mère. Elle était de la race des laids, éternellement vouée au mépris. Quand elle entra, l'enfant sous son manteau souillé, le visage comme un désert où vient de passer un cyclone, une envie de vomir, un goût de perversité lui serrèrent la gorge.

Louise s'écarta du jeu d'échecs abandonné:

— Oh! Isabelle-Marie, tu viens me montrer ta petite fille?

Isabelle-Marie dissimula l'enfant et disparut dans sa chambre.

Dans un coin, Patrice soignait ses ongles comme une coquette.

* * *

Et les jours succédèrent aux jours. Jamais Isabelle-Marie ne souriait plus et sa rigidité pitoyable la durcissait.

Elle vivait aux champs, à l'écurie, soignait les bêtes, parlait peu. En face d'elle, toujours Patrice, Patrice de nouveau l'admiré, le compris, l'idiot! Plus elle se croyait laide et abaissée, plus elle haïssait l'injuste beauté de son frère.

Patrice avait oublié presque tous ses drames et sa sécurité retrouvée le comblait. De nouveau, sa mère l'accueillait dans sa chambre à l'heure où elle se coiffait. Elle avait repris son futile monologue avec son bien-aimé fantôme.

Tous les cadeaux que Lanz lui avait arrachés enrichissaient maintenant Patrice. Du même coup, l'enfant avait retrouvé l'amour de lui-même, la confiance en son corps parfait. Il mangeait, buvait, suivait sa mère aux promenades.

Il était beau, noble d'aspect. Il avait vingt ans.

TROISIÈME PARTIE

I

Depuis deux heures déjà, Isabelle-Marie se tenait impassible près de la fenêtre, les mains serrées autour de ses genoux. Elle fixait un regard inhumain sur tout ce qui l'accablait: l'échiquier, Louise qui attendait son fils, le feu dans l'âtre.

Isabelle-Marie enfonça ses ongles dans la chair de ses genoux, là où l'on souffre tant.

Louise se leva et s'approcha de la lampe. La lumière mit en évidence la plaie de sa tempe maintenant à vif. Sans doute, Louise avait-elle aussi la fièvre? Elle passa une main sur sa bouche et Isabelle-Marie vit qu'elle tremblait.

— Isabelle-Marie, il est tard, j'espère que Patrice n'est pas sur la route.

Isabelle-Marie ne répondit pas. Malgré le feu dont elle était proche, elle grelottait. Son froid venait de si loin, conquérant.

— Je lui ai pourtant dit que ces courses étaient dangereuses, poursuivit Louise. Quand il a blessé Lanz...

— Patrice a tué Lanz. C'est différent.

Louise revint s'asseoir, sombre. Croyant qu'Isabelle-Marie ne la remarquait pas, elle s'essuyait la joue de son mouchoir parce que des gouttes de pus y coulaient.

— Qu'est-ce donc, s'effraya-t-elle tout bas, je croyais à une meurtrissure banale... mais...

Isabelle-Marie ricana et son ricanement poignarda Louise et se répercuta dans la grande maison comme les pas sonores d'un promeneur aérien.

— Isabelle-Marie, qu'as-tu?

Isabelle-Marie se leva sans répondre.

— Isabelle-Marie!

Patrice entrait. Ses vingt ans resplendissaient sur toute sa personne, et surtout en son visage où le front n'avait jamais été si pur. Il haletait de froid, les foulards défaits sur ses épaules. Il ouvrit les bras, sa mère courut l'étreindre.

— Mon grand, que faisais-tu? Viens là, près du feu. Raconte-moi.

— J'étais à la chasse, dit-il.

— Ne mens pas.

Elle l'aida à enlever ses longues bottes, les bottes de son premier mari.

— Attends, je vais essuyer ton visage. Promets-moi de te reposer, de ne pas te réveiller avant l'aube pour aller courir dans les bois.

— Oui, je veux dormir.

— Parle un peu, supplia-t-elle, tout en plongeant le visage de son fils dans les linges parfumés.

— Je ne me souviens de rien.

— Ah! gronda-t-elle, tu ne veux pas me dire, tu t'excuses toujours ainsi. Tu veux boire? Isabelle-Marie a préparé le repas. Mange. Non, ce pain est trop frais pour toi. À quoi pense Isabelle-Marie de donner à mon grand du pain presque chaud?

Elle allait, mince, plus agréable de loin que de près, versait du vin, revenait en souriant car les traces de peur n'effleuraient plus ses yeux. Sa Belle Bête était devant elle, son beau et puissant jeune homme sans esprit.

Patrice, repu, sommeillait, le bras replié sous sa joue rose. Les cils battaient faiblement, une salive mince comme une salive d'enfant perlait ses dents.

Louise le contempla, satisfaite. En Patrice elle trouvait tout ce qu'elle cherchait: un bel objet et

119

qui fût tout à elle. Plaire était sa loi. Elle remplaçait Lanz par une autre frivolité.

Patrice sursauta comme si un rêve le maltraitait. Puis sa respiration se fit plus large et il s'ensevelit dans le sommeil.

Elle l'entraîna vers sa chambre, et l'allongea sur son lit comme lorsqu'il était adolescent, souple entre ses bras de mère et qu'elle l'endormait dans les caresses.

Elle ferma les volets pour qu'il dormît tard.

Le mal de sa joue l'empoigna.

— Demain, oui, demain, j'irai chez mes médecins.

Mais elle savait qu'elle n'irait pas. Elle aimerait mieux attendre. Elle se coucha. La fièvre la secoua tout au long de la nuit.

II

L'automne s'achevait. Taciturne, l'âme à sec, Isabelle-Marie avait maigri, s'enlaidissait, âpre comme une sorcière, et sa voix même avait changé. C'était une voix sans pitié où l'on sentait toujours quelque ricanement. Elle promenait ce soir-là, vers le crépuscule ses chiens dans les bois. Elle aimait marcher ainsi, près de ses bêtes, cette forêt dure à ses flancs. Elle s'avançait front nu, dédaigneuse. Des coups de feu crépitèrent: «Patrice qui joue», pensa-t-elle. Mais un des chiens s'enfuit comme si l'on eût appelé. Les coups se répétèrent, plus longuement, secs. Elle entendit hurler son chien. Elle seule connaissait ce hurlement-là.

— Le plus jeune, il a tué le plus jeune.

Elle accourut, folle et noire, sans souliers. Patrice était debout, le chien mort à ses pieds.

— Qu'as-tu fait, Patrice?

Il s'étonna d'abord, puis approcha de sa sœur.

— Tu as tué mon chien préféré.

Patrice toucha le chien mort de ses mains sans le regarder. Puis cherchant à consoler sa sœur, il lui caressa les cheveux.

— Tu es un idiot, un grand idiot, Patrice.

Vide, lointain, Patrice disait: «Moi?»

Elle cria, se détachant de lui: «Idiot!»

Le visage tourmenté, Patrice se réfugia contre un arbre, dans cette pose d'effroi qu'il avait eue naguère, quand Lanz l'avait fouetté. Puis, soudain, Patrice s'enfuit, traversa le bois, courut jusqu'au lac où il se pencha, but gloutonnement de cette eau froide comme sa douleur.

— Patrice! Patrice!

Sa sœur l'appelait. Pour se cacher d'elle, ou pour ne plus la craindre, Patrice essayait d'emporter son visage d'eau.

*   *   *

Malgré son égarement et sa dureté, Isabelle-Marie aimait sa fille. Elle la berçait contre son sein maigre, intime dans son plaisir, le seul plaisir qu'elle pût éprouver. Mais elle songeait à ce que serait plus tard cette enfant, une laideronne dont on se détourne. Elle était presque tentée de la tuer.

*   *   *

Sa révolte contre Patrice s'exaspérait. Elle le guettait, lui reprochait tout. Elle méprisait sa mère qui n'avait jamais su faire le juste partage entre ses enfants. Sa jalousie se gonflait à ses tempes. C'était le triomphe d'une passion de damné. Il lui fallait satisfaire cette passion ou mourir.

III

L'hiver était pénible. Patrice, gâté, aimé, restait à la maison où il ne risquait pas de souiller ses habits et de casser ses beaux ongles. Isabelle-Marie épiait tous ses mouvements.

Se réveillant un matin, du pus à la gorge, Louise décida de rencontrer ses médecins au sujet de «l'égratignure».

Quand elle rentra, à la fin de la journée, Patrice l'attendait. Elle était sanglotante et portait un pansement à la joue.

— Mère, demanda Patrice en l'embrassant, qu'y a-t-il?

— Rien, mon grand. J'ai eu si froid. Le froid me fait toujours pleurer. Tu le sais bien. Tu regardes ce pansement? Rien, mon Patrice, rien. Je me suis cognée, ça guérira vite.

Mais elle n'avait pu parler longtemps. Après avoir souri à son fils dans ses larmes, elle s'était retirée, tête entre les mains. Patrice n'y comprenait rien.

Isabelle-Marie, qui écoutait, eut un ricanement amer.

Enfin seule, Louise se jeta sur son lit, les mains collées au ventre:

— Un cancer! Un cancer à la joue!

Puis elle se redressa, enleva le pansement et refit son maquillage.

— Mais je n'en mourrai pas, non.

Elle sourit à son masque qui semblait avoir reçu un coup de hache à la joue droite.

— Au moins, Patrice est là.

Louise se maquillait plusieurs fois pendant une même journée. Elle remplaçait le pansement par des crèmes chaudes et viles qui affectaient sa chair. L'âge la creusait, étirait son cou et son front. Seule sa chevelure restait belle.

Quant à Isabelle-Marie, elle vivait dans sa chambre, près du feu, ou dans la forêt pour des promenades avec sa fille. Elle pâlissait en ce pâle hiver.

* * *

Distraite de son mal honteux par son fils, Louise continuait de croire en sa vie, nourrie de vanité.

Mais sous le fard elle sentait souvent le pus qui se répandait. Elle enfouissait alors sa joue dans un mouchoir.

Certains soirs, vers la fin de la saison, Patrice la trouvait vaincue, fourbissant quelque colère que son innocence ne pouvait deviner. Les rares fois qu'il lui arrivait de jouer aux échecs avec Isabelle-Marie, elle la laissait gagner et s'excusait d'aller dormir plus tôt. Dans sa chambre, elle s'abandonnait à la douleur, se débattait comme une brûlée dans son lit et traversait péniblement des nuits où elle souffrait trop pour dormir.

Patrice qui la considérait comme son miroir ou le miroir du lac, Patrice qui avait tant besoin de donner sa beauté à quelqu'un, Patrice était dépassé par de si étranges conditions. Quand il osait en parler à Isabelle-Marie, elle lui riait au front. Alors il revenait à Louise qui le suppliait de ne jamais quitter sa mère pour une épouse ou une amie.

— Je suis ta mère, ta meilleure compagne, je suis de toi, tu es de moi. Ne l'oublie pas.

Il souriait, détournait les yeux.

Elle tressaillait de peine sous ses fausses couleurs.

IV

Vint le printemps et le travail reprit aux fermes. Patrice répandait, à chaque aube, du pain pour les oiseaux. Dans cet acte d'ouvrir les bras pour donner il ressemblait à un saint des légendes médiévales.

Il accompagnait sa mère dans ses promenades, la tête éternellement contre son épaule. Le bois des arbres, touché par le soleil, criait comme si la glace l'eût enfanté. Patrice observa que sa mère n'était plus aussi offerte ni aussi solide pour soutenir sa tête. Louise rentrait vite, prétextant qu'elle avait besoin de sommeil. Le ver mangeait perfidement sa joue. Lorsque Louise riait, on pouvait voir qu'elle souffrait.

*   *   *

Louise avait déposé un bassin rempli d'eau sur le feu. C'était l'eau brûlante dont elle se servait pour apaiser sa joue quand elle souffrait davantage. À ces moments-là, elle s'emprisonnait devant son miroir, sanglotait tout bas, le visage rongé au dedans. Aujourd'hui la crise de fièvre se prolongeait. Louise tardait à venir chercher l'eau et le récipient écumait. Isabelle-Marie était debout, butée, les coudes touchant le mur, elle renversait la tête et serrait les lèvres. Tandis que Patrice, indifférent et beau dans son indifférence, allait et venait près de l'âtre, Isabelle-Marie contemplait son frère tout en redoutant son pas. Elle eut envie de l'admirer pour la dernière fois.

Isabelle-Marie dit d'une voix très triste:

— Ma Belle Bête, penche-toi un peu sur les flammes, regarde ces lueurs, tu pourrais les cueillir avec tes mains si tu voulais.

Patrice rit brusquement comme un enfant, de la confiance plein ses grands yeux candides.

— Moi? Moi, je pourrais jouer avec le feu? Mère a peur du feu, elle.

Isabelle-Marie se glissa près de lui. Comme elle lui caressait l'épaule et la nuque, Patrice la trouva douce.

— Ma Belle Bête, allons! Penche-toi et touche... ça se cueille comme des étoiles.

— Des étoiles? dit-il distraitement.

Elle le voyait, splendide, en paix, à son flanc. Ainsi tentée, elle devait ressembler à Ève préparant sa séduction. Elle hésitait, enfonçait une dent dans sa lèvre la plus sensuelle.

— Mais penche-toi donc, ma Belle Bête.

Patrice se mit stupidement debout devant le bassin où l'eau commençait à déborder.

Soulevée de férocité, Isabelle-Marie tendait les lèvres.

— Alors que vois-tu?

— De l'eau.

— Mais non, regarde mieux, ma Belle Bête.

Elle maîtrisait son frère, le subjuguait du regard.

— Pourquoi te fais-tu si tendre? osa Patrice.

Elle le caressa plus fort et en profita pour entrer ses ongles dans cette nuque d'homme que surplombait un visage d'enfant, ébloui, guettant les flammes.

— Oh! La si Belle Bête!

Son regard cruel s'acharnait sur cette nuque luisante. La main hésita quelques instants, puis, victorieuse, poussa la tête de Patrice dans le bassin. Sa main était ferme comme une griffe et Patrice ne résista point, ignorant qu'on l'avait choisi pour

victime. Aussitôt son geste sorti d'elle-même, Isabelle-Marie, contentée, descendit le sombre esca-
lier qui conduisait aux pièces closes depuis la mort
de son père. Elle se tint muette, blanche, frémissant
du dos comme une cardiaque.

En haut, Patrice hurlait, cognait son visage
tuméfié à tout ce qu'il voyait.

Isabelle-Marie entendit sa mère courir, puis
pleurer. L'enfer bougeait au-dessus de sa tête.
Secouant le poids de meurtre qui l'oppressait,
Isabelle-Marie respira.

Enfin, il n'y aurait jamais plus de Belle Bête!

Elle appliqua ses mains à ses joues où les
sueurs coulaient comme des larmes.

Louise, pétrifiée, regardait son fils détruit
sans pouvoir se précipiter sur lui, comme l'eût fait
une véritable mère. D'un pan de sa robe, elle voila
son visage tandis que sa joue saignait sur ses
mains.

— Patrice, tu veux jouer au monstre? Dis, tu
veux m'effrayer?

Elle se déchirait les ongles à coups de dents,
tandis que Patrice haletait, la face empourprée,
plaquée de rouge comme le teint des vieillards
hallucinés.

— Patrice, qu'as-tu fait?

Patrice s'écroula, griffant les chevilles de sa mère en criant de douleur. Mais Louise avait l'air de se repousser à travers lui, elle ne pouvait physiquement supporter cet être devenu horrible.

— Je t'avais dit d'être prudent, de ne pas danser près du feu. Oh! Patrice.

Elle n'avait déjà plus la même voix ni les mêmes paroles. C'était la violente, l'égoïste qui surgissait tout à coup. Patrice n'avait plus aucune valeur pour son âme de poupée. Elle repoussait de son pied étroit le front de Patrice, ce front qu'elle regardait jadis comme un flanc de cygne. Écrasée de dégoût, elle reculait.

— Mère, je souffre, mère!

Elle cria sèchement: «Isabelle-Marie, viens soigner ton frère.»

Le silence la surprit.

— Isabelle-Marie, où es-tu?

Isabelle-Marie parut, l'œil éteint.

— Ton frère s'est blessé.

La voix se tut brusquement, trop gutturale pour être humaine. Louise retourna dans sa chambre, laissant son fils délirant de souffrance.

— Il ne dira rien, pensa Isabelle-Marie, son manque d'esprit me protégera.

Elle transporta le pauvre enfant, ravie de le découvrir si laid, de le savoir désormais traqué par sa blessure d'enfer. Elle l'écoutait souffler sur ses bras, frapper son ventre à coups de poing.

— Allons, ma Belle Bête, qu'est-ce que l'on faisait encore?

Heureusement, l'eau avait épargné les yeux de Patrice. Des lueurs de vraie folie chargeaient ses yeux d'épouvante. Les paupières ne saignaient pas mais tout le reste de l'ancien beau visage était ravagé.

— Ma Belle Bête, tu ne seras jamais raisonnable?

Son frère secouait la tête comiquement, ses yeux verts erraient, inquiétants.

— Calme-toi, je vais te soigner.

Il vociférait: «Mère... Mère...»

Elle dut le retenir au lit en luttant. La pire secousse passée, il s'évanouit de détresse, comme pour mourir.

— Ma Belle Bête, tu vois, ta mère ne t'a jamais aimé. Tu es triste? Tu dors?

QUATRIÈME PARTIE

I

Louise avait tout perdu, même son propre corps qui se dissolvait dans les poisons du cancer, appelé à son destin de putréfaction. Le bel enfant qui lui plaisait tant jadis n'existait plus pour elle depuis qu'il était devenu laid. Il partageait désormais le sort méprisé d'Isabelle-Marie, qui, maintenant, l'aimait à sa façon.

Comme Lanz, ses vêtements et sa canne d'or, la poupée se consumait. Lanz, lui, n'était déjà plus qu'un homme d'ossements, abandonné au cimetière du village, où Louise déposait, une fois l'an, des violettes. Malheureuse mais inconsciente, Louise ne s'imaginait pas mériter la même fin et, si elle ne croyait plus en la beauté de Patrice ni en la sienne, elle espérait encore en ses richesses, son confort. Les fermes, la prairie, le lac, tout lui appartenait.

Elle cherchait, par la magie de ses maquillages, à se survivre, car la flamme de ses yeux était vierge. D'avoir à jamais un monstre incurable pour fils, la dégradait, elle, l'orgueilleuse abîmée.

Elle l'évitait, méditait de le chasser. Cependant, Isabelle-Marie revenait à la santé, aimait rire et chanter. Aucun beau visage ne pouvait plus lui faire honte. Louise s'étonna de la voir prendre de l'embonpoint, de la bonne humeur.

Rien, cependant, ne pouvait remplacer Patrice. Des larmes fielleuses coulaient sur sa joue ouverte: elle sentait son corps bientôt promis à la tombe.

— Patrice!

Et Patrice, qui n'avait jamais pu fournir l'effort suffisant à la réflexion, se sentit tellement au bout de l'abandon humain qu'il se mit à s'interroger obscurément. Chaque soir, à l'heure où Louise dénouait ses cheveux, il revenait dans la chambre comme un automate, mais Louise bondissait, irritée.

— Va-t'en!

Il sortait, courait au lac où il pleurait sans comprendre, devant l'image d'un jeune homme qu'il n'avait jamais connu.

— Qu'ai-je fait à l'eau?

Et devant ses miroirs:

— Pourquoi êtes-vous devenus si laids? Vous me faites peur.

Isabelle-Marie s'efforçait de l'amuser, mais il s'en méfiait, incertain des actes de cette sœur dénaturée. Libérée de sa jalousie, elle lui préparait du bon pain, un lit frais, le laissait vagabonder avec les chevaux. Elle croyait que Patrice avait vraiment oublié quelle main s'était ruée sur lui, quels ongles démoniaques l'avaient assujetti. Et Patrice, ravagé, vivait à l'envers de son visage, rêvait tristement.

II

— Dis, mère, pourquoi l'oncle Patrice est-il devenu si laid? Une nuit je t'ai vue, mère. Tu lui disais de mettre la tête dans l'eau, mais l'eau était très chaude. Peut-être que tu ne savais pas, mère? Tu es fâchée?

Isabelle-Marie gifla sa fille. L'enfant que l'on brusquait sans cesse continua de manger. C'était l'heure du repas, l'heure où les ennemis d'une même famille se jugent silencieusement. Louise dressa sa face contaminée, fixa sa fille d'un œil étincelant:

— Quoi, qu'est-ce qu'elle raconte, ta fille, Isabelle?

Isabelle rougit.

— Mère, tu ne vas pas croire les paroles d'une enfant?

— Anne, dit Isabelle-Marie, sors un peu. Tu mangeras plus tard.

Mais Louise retint l'enfant par le poignet.

— Anne, ma chérie, Patrice n'a pas voulu me dire comment il s'était blessé. Tu l'as vu, toi? Dis?

L'enfant allait parler. Isabelle-Marie, les pommettes saillantes, les yeux enflammés, répliqua aussitôt:

— Anne dormait.

— Je ne dormais pas, cria l'enfant, je regardais par la porte pas tout à fait fermée.

— Dis, ma belle enfant...

— Je ne suis pas belle, dit l'enfant avec douceur.

— Dis? Dis?

— Tais-toi, Anne.

Isabelle-Marie clouait de ses doigts la bouche de sa fille pour l'empêcher de parler. L'enfant se détacha, courut dans les bras de Louise qui venait de l'appeler: «Ma belle enfant.»

— Mère a dit à Patrice: «Penche-toi, tu peux cueillir des lueurs dans tes mains, comme des étoiles.»

— Et alors, ma belle enfant?

— Alors, il s'est penché. Mère... Mère...

— Alors?

— Mère l'a poussé dans le bassin.

Isabelle-Marie et Louise pâlirent ensemble. La petite Anne, elle, oubliait déjà quelle horreur elle avait soulevée. Elle avait envie de demander à sa grand-mère pourquoi elle avait une plaie à la joue: elle voulut même y enfoncer son doigt, son pouce.

Louise poussa un gémissement:

— Ne touche pas à ma joue.

Effrayée par la nouvelle voix, l'enfant s'agenouilla devant Louise:

— J'ai froid, pleura-t-elle.

Quand Anne regarda sa mère elle eut plus froid encore. Les deux femmes s'éprouvaient du regard comme dans un duel. Leurs âmes sortaient, grimaçaient de monstruosité.

Anne supplia:

— Je voudrais aller dormir.

Mais on ne l'entendit pas.

— Oui, c'est moi qui ai défiguré Patrice, gémit Isabelle-Marie.

Et, à mesure qu'elle parlait, sa gorge se déchirait de révolte.

— Mère, depuis que je suis enfant, je te vois chérir Patrice parce qu'il est beau, et me mépriser, moi, la laide. Patrice, toujours Patrice! Tu ne m'as jamais aimée et tu n'as pas su que ton fils était un idiot, une bête... un beau corps. Pas un homme, pas même un enfant! Il n'a jamais eu d'esprit, ton adoré Patrice. Moi, tu croyais que je n'avais pas de cœur parce que j'étais laide?

Étouffée, Isabelle-Marie sanglotait et sa chair avait l'air de glisser au fil de ses os tant elle était secouée. Anne la regardait, tendue comme une femme par cette tragédie qu'elle surprenait, sans savoir que cette tragédie était sienne.

— Ceux qui m'ont vue m'ont repoussée, même mon mari. Il a eu des yeux pour me voir et je l'ai dégoûté. N'est-ce pas toi qui m'as faite laide? Parle, mère. Tu me condamnes, mais mon crime était mon seul moyen de vivre. Parce que je veux vivre, et respirer, et voir, malgré mon visage.

Elle hurlait, faiblissait, se tordait:

— Mère, je te méprise parce que tu n'as vécu qu'en ta maudite vanité. Moi, personne n'a eu pitié de moi puisque ma mère me repoussait. Et j'étais jalouse. J'en mourais. Tu sais, quand on regardait Patrice dans le train, moi, je voulais mourir et ne pas être sa sœur. Et puis, quand les gens venaient et qu'ils s'extasiaient devant le visage de Patrice, oui, oui, j'aurais voulu le tuer. Le pain trop frais, c'était pour le faire crever pendant la nuit, et quand je le baignais, c'était pour le noyer.

Elle s'écroula, fluide et assoiffée.

— En somme, il n'était qu'un idiot.

Louise n'avait rien dit. Sa joue saignait et le sang tachait son col blanc. L'honneur battant dans ses prunelles, elle releva sa fille, brusqua son épaule:

— Je te chasse, Isabelle-Marie. Pars cette nuit avec ta fille. Tu as ravagé Patrice. Tu ne ravageras pas «mes» terres. Elles sont à moi. Patrice aussi était à moi. Pars!

Isabelle-Marie offrit à moitié une tête en sueur:

— Je ne partirai pas. J'aime la maison et les terres.

— Va-t'en!

Louise était dressée, inflexible. Isabelle-Marie habilla Anne et à la fin de la nuit, par le même train où l'on avait admiré son frère endormi, elles s'en allèrent.

Louise savait que sa fille regretterait durement ce bout de pays. Méchante, sevrée de tout, Isabelle-Marie l'injuria:

— Tu pourris, mère. Ta joue t'assassine. Et ne sois pas trop sûre de tes terres... Bientôt...

Anne pressait des violettes en marchant vers la gare. Elle n'avait pas envie de partir, ni de jouer et, peut-être pas non plus, de vivre.

III

Presque nu, les chiens d'Isabelle-Marie à ses côtés, Patrice errait. Il regardait le lac tandis que les chiens collaient leurs museaux chauds à ses belles mains. Divisé en deux visages, le soleil avait un fond d'or et un fond de rouge et les deux profils s'enlaçaient quand ils se rencontraient. Patrice s'agenouilla sur la rive, prit sa tête entre ses mains et pleura comme pleure un enfant.

— Qu'est-ce que j'ai?

Une peur sans contrôle le ramenait aux gestes de sa sœur, à ses paroles aussi. Tout lui criait soudain: «Patrice, tu es un idiot.» Les arbres, le soleil, le lac aux oiseaux...

D'où venaient ces visions? Isabelle tranchant le pain, Isabelle ricanant, et, au-dessus de toute forme, sa mère à la joue rongée.

Il se coucha dans le sable pour ne plus entendre ces voix jaillissant de lui-même. Il pleurait, il saignait des pleurs.

— Patrice, tu n'as pas d'esprit, lui répétait avec insistance un écho intérieur au milieu des appellations maladives de Louise: «Mon Grand».

Il voyait bien le soleil dans l'eau mais il ne pouvait y découvrir son visage. Les larmes lui bouchaient les yeux. Bientôt, quand il se vit, l'air égaré, le masque creusé à la lame, il s'écria:

— Ah! Que je suis laid!

La voix lui murmura: «Idiot, aussi!»

L'envie de courir le saisit, comme au temps de ses fièvres. Il s'enfuit vers la maison, le cœur ivre, le corps évadé des carcans de la peur.

* * *

Quand il frappa, Louise ne répondit pas. Elle était allongée, défaite, reposant sa joue dans une serviette mouillée. Son front était pâle sous une rosée de fièvre. Patrice poussa la porte du genou et pénétra dans les ténèbres que Louise ramassait déjà autour d'elle pour accueillir sa mort prochaine:

— Sors, dit-elle d'une voix faible, je suis fatiguée, je ne veux pas de toi.

— Mère, implora-t-il, les mains levées, pourquoi ne m'as-tu pas dit?

Elle demanda rageusement: «Quoi donc?»

Elle s'assit sur le bord du lit, arrachant son linge où pendait un lambeau de la joue griffée. Elle regardait le vide, le creusant de ses yeux. Elle ne regarderait jamais plus son fils. Plutôt que de la ramener à lui, la souffrance l'isolait.

— Parle, dit-elle.

Patrice souffrait maintenant comme un être sans âge, comme un homme qui revient de trop loin et qui flotte dans l'imprécision de ses souvenirs.

— Parle. Tu ne sais donc pas que j'ai horreur de toi? Oui, j'abomine ta souffrance et ta laideur. Quand j'ai épousé ton père, si j'avais prévu les fatalités de l'enfantement...

— Mère, pourquoi ne m'as-tu pas dit que j'étais un idiot?

Elle éclata nerveusement de rire:

— Patrice, tu viens faire le bouffon à mes pieds? Tu veux me voir rire? Hé bien, je ris pour toi. Écoute...

À force de mal rire, elle devenait grotesque et le feu incendiait de plus en plus sa joue.

Patrice demeurait grave, inoffensif, surpris:

— Est-ce vrai que je suis idiot? Pourquoi ne me l'as-tu jamais dit, mère?

Comme elle riait sans trêve, le corps en proie à cette comédie hallucinante, Patrice se jeta à ses pieds en sanglotant:

— Isabelle-Marie, elle, le disait que je suis un idiot. Elle m'appelait la Belle Bête.

Louise cessa de rire. Elle crut qu'il jouait à la tendresse, comme pendant son enfance. «Ruse d'animal», pensait-elle. Sans le regarder, elle le redressa, l'aida à s'asseoir. Il ne pleurait plus. Il attendait, les traits crevassés d'un lourd désespoir d'homme laid.

Louise venait de trouver comment se défaire de son fils. Puisqu'il jouait si innocemment à l'idiot, elle le prendrait au sérieux et le conduirait à l'asile.

— Tant pis pour lui, il l'a bien voulu.

— Que fais-tu, mère? demanda la voix craintive de Patrice.

— Nous partons en voyage. Es-tu content?

Patrice osa, cachant son visage du revers de sa main:

— Tu m'aimes, mère?

Il voulut l'embrasser mais elle le repoussa d'une main doucement cruelle.

* * *

146

Dans le train, les voyageurs regardaient maintenant ce jeune homme au visage dévasté par le feu et dont tout le reste du corps demeurait intact. Comme aux longs voyages de son enfance, il cherchait à appuyer son visage, son front, à l'épaule de sa mère. Louise le lui interdisait sournoisement en le pinçant.

La poupée au bandeau avait honte: à cinquante ans, elle voyait la fin de son monde ridicule. Toute cette famille n'avait jamais eu de jeunesse.

À la gare, on se retourna, non pour regarder Patrice le beau, mais Patrice le laid.

— C'est très loin? demanda Patrice.

Louise saisit la main de son fils. Vers l'asile, ils marchèrent, muets, parmi les hautes allées de pierres où attendait, au bout, derrière un échafaudage de grilles, le morne refuge blanc.

Louise serra la main plus fort.

IV

Patrice était seul à l'asile et plus délaissé que jamais, perdu comme un mort dans la vie, au milieu de la vie des autres. Il était enfermé depuis deux ans. Jusqu'à ce jour, il n'avait pas connu l'intensité du besoin de penser à quelque chose. Il s'interrogeait comme s'interroge un enfant sur les miracles.

— Suis-je un miroir ou suis-je Patrice?

Il confondait tout. Il avait tant vécu avec les miroirs, autour des miroirs, dans les miroirs. Toutes les images se mêlaient en lui comme dans un cauchemar.

Parfois, son instinct s'animait plus fortement, puis tout redevenait vide en lui. Les moments de vision jaillissaient au gré des images. Tout fuyait ensuite, d'un seul coup, à lui faire oublier même ce qu'il était. Lorsqu'il se concentrait sur un objet quelconque, son visage devenait horrible. L'attention le déchirait et ses muscles sortaient comme pour accuser qu'il n'était pas un homme mais une bête.

Son cœur errait là où il ne trouvait rien. Certains soirs, le regard fixé sur le mur, il revoyait son enfance.

Ce pauvre Patrice n'était pas né complètement idiot. Mais sa mère agissait pour lui, tandis que lui n'avait que le goût de dormir, de s'accepter mollement. Louise disait ce que l'enfant devait dire et jamais l'enfant n'éprouvait l'envie de chercher des mots, de les arracher à son âme voilée. Pareillement il avait mis beaucoup de temps à marcher, tout comme il n'avait pas cessé de traîner intellectuellement, sa seule découverte spirituelle ayant été celle de sa beauté, à quinze ans.

Maintenant, tout était fini. Patrice avait froid derrière les grilles. L'envie de courir le hantait. La nuit, il pensait aux chevaux, ou il criait, les poings sous les draps: «Isabelle-Marie, j'ai faim.» Mais il ne pouvait déterminer pourquoi ces paroles lui faisaient si mal.

* * *

Il marchait parmi les autres. À cette heure, tous allaient ensemble se laver les mains, vêtus de gris, des chiffres aux poignets.

Pourquoi tous ces visages étaient-ils si blancs?

Blancs à faire hurler? Certains regardaient de côté, d'autres pleuraient dans leurs mains, ou riaient aux éclats. L'odeur de leurs corps était gênante comme le parfum singulier des morts. Et partout, des corridors, des chambres fermées qui ne distribuaient pas le soleil.

Le jour de son entrée, Louise avait tenu son fils par la main, les yeux baissés. Frissonnante de honte, elle ne pouvait plus aimer, comme jadis, son propre visage à travers le beau visage de son fils. Elle refusait de s'y reconnaître.

— Retrouver mon cheval et disparaître — pensait Patrice, en rêve.

Et il en pleurait.

* * *

Patrice n'aimait pas la solitude. Elle l'effrayait. Sans doute, avait-il, plus que tout, la peur de croire en son visage flétri? On le surprenait parfois, obsédé, les ongles enfoncés dans la joue. Il était surveillé, espionné même, et il l'ignorait. Sa nature d'idiot était analysée, ainsi que toutes ses luttes les plus intimes pour vivre au sommet du jeu. Mais il ne vivait pas, il existait. Il ne pensait pas non plus. L'instinct animal lui fournissait l'interprétation nécessaire à ses faibles capacités. Il se réveillait souvent troublé de se sentir en vertige au-dessus du monde et de lui-même. L'âme finirait-elle par naître en lui comme l'inspiration chez le génie impatient? Non. Pourrait-il jamais vivre un moment? Non. Seulement le temps de désirer l'Immortalité? Non. Une raison avait-elle habité son cœur de belle bête? Non.

Il n'était pas libre. Il était comme un noyé qui surnage au fond de lui-même. Ses yeux brillaient parfois d'une intelligence qu'il ne possédait pas. Au plus profond de cette fausse lumière s'entre-dévoraient de grasses ténèbres.

Il était alourdi d'effroi... devant lui-même.

Parmi les autres malades, il riait quand il voyait rire, il pleurait pour le goût des larmes le long des joues. Il se réfugiait dans cette mentalité foudroyée des fous qui se résume à l'attente.

V

Il avait un ami. Faust, ancien comédien au visage barbare, exerçait sur lui une fascination humaine. Ses mains tremblaient sans cesse, et sa tête bouclée, blanche, n'était pas de ce monde. Ce monstre avait, sous certains aspects, un cœur d'enfant. Il était alléché par des vestiges de grâce dans le visage meurtri de Patrice.

Afin de lui rendre hommage, Faust imitait les traits de Patrice à coups de grimaces. Il ressemblait alors si prodigieusement à Patrice que celui-ci le craignait comme ses miroirs. Faust jouait follement à tout ce qu'on lui demandait.

Ce fantastique possédé était génialement fou.

Faust se courbait, faisait des griffes de ses ongles, les yeux élargis comme les yeux d'un fauve:

— Regarde, disait-il, je suis un chat.

Patrice n'avait qu'à le regarder pour le croire. Faust évoquait les hurlements de détresse et de plaisir du chat tandis que Patrice, égaré dans les nombreux décors de sa vie, entendait à travers son corps, les plaintes félines des bois. Lamentablement, Faust se promenait dans la chambre, s'abandonnait à ce jeu pendant des heures. On le trouvait souvent endormi dans des poses cocasses.

Faust jouait aussi au bouffon et Patrice faisait le roi pour lui plaire. À la fin, ils riaient ensemble, seul public de leurs propres spectacles sans rideaux.

Faust n'aimait pas jouer au mort.

— Faust, implora ingénument Patrice, tu ne pourrais pas être un cheval? Moi je sauterais sur toi et nous irions très loin, à gauche, à droite... au bout des bois, où il y a un lac et des poissons.

Faust se redressait... Les cils battaient doucement au-dessus des yeux méphistophéliques:

— Mais je suis un cheval. Tu vois, un magnifique coursier. Monte.

Patrice se collait au dos de Faust en criant: «Les bois! Les bois!» Ils tournaient dans la chambre, ivres de leur mensonge vivant.

— Il est loin ton lac?

— Au bout. Traverse la forêt.

Haletant, Patrice apercevait le lac et son beau visage qui y dormait comme la robe de cette noyée qu'il y avait vue flotter une nuit d'été.

— Faust, nous arrivons.

Ils se frappaient la tête contre le mur. Faust roulait. Patrice lui serrait le bras.

— Un beau lac, n'est-ce pas?

Faust, la tête penchée, l'œil sauvage, ne répondait pas.

*   *   *

Larmes aux yeux, cou tendu, Faust se tordait à jouer aussi à celui qui a peur. Il feignait d'entendre la foudre, la tempête contre son ventre. Bientôt, c'était Patrice qui avait peur et Faust se reposait de son jeu sur lui, comme le tragédien qui a tout donné de son art sublime. En exerçant sur l'autre la passion dramatique qui l'étouffait, Faust s'apaisait lui-même.

Il jouait d'ailleurs si bien que Patrice vivait dans sa chair ce qu'il voyait. Le matin, en entrant dans la chambre de Patrice, Faust lui serrait la main et lui faisait son théâtre tout le jour. Quand il était secoué par ses propres sanglots, ému de ses tragédies, Patrice devait ensuite le consoler.

— Alors que veux-tu que je sois?

— Je voudrais que tu sois l'épaule de ma mère, une seule fois.

Mais Faust avait déjà décidé ce qu'il voulait être.

— Je suis un roi. Tu es mon prince.

— Oui.

— Prince, écoutez mes fanfares.

Faust était assis. Patrice demeurait debout, près de la fenêtre, pour voir le printemps. Les jardins se livraient aux épousailles et l'idiot respirait l'odeur des vêtements trop lavés en même temps que celle des muguets naissants. Misérable printemps!...

— Bien, vous écoutez, Patrice? Prince, je veux dire.

— Oui, murmurait-il, las.

Mais il écoutait les fous qui criaient dans la cour. D'autres jouaient aux billes. Un vieillard traversait la place en pressant du papier contre sa poitrine.

— Mon trésor... Silence!

— Vous aimez les fanfares, Prince? Elles sont pour vous.

Faust se leva, ouvrit la fenêtre complètement. La main tendue, il avait l'air de toucher le soleil à chaque bout de ses doigts. Le murmure triste continuait à l'extérieur comme la musique d'un tambour crevé.

— Prince? Mais à quoi pensez-vous?

Patrice s'ennuyait. Le roi, lui, avait envie de pleurer.

*   *   *

Faust disait qu'il était violoniste. Serré contre le lit, il promenait son ongle sur l'instrument puisé dans sa folie même.

— Oui, regarde. Il faut voir. Je suis un très grand violoniste.

Faust écoutait son faux archet.

— Que c'est doux!

Personne ne pouvait entendre cette musique de son âme. Faust était seul. Plus seul que tous parce qu'il comprenait pourquoi il était seul.

Patrice, lui, rêvait à l'épaule de sa mère.

Patrice rêvait à celle qui ne l'aimait plus.

Faust mourut au mois de mai, en imitant le serpent. Patrice se jeta sur lui, cria. On dut lui mouiller le front, le calmer car il voulait briser ses poings sur le mur. Faust mourut comme un homme qui n'avait jamais su prier ni vivre, mais uniquement souffrir. Il s'était résigné à ce jeu pathétique. La belle tête blanche du génie rompu à son ivresse disparaissait et Patrice restait désespérément seul au centre de lui-même.

Peut-être l'animal mérite-t-il d'être écouté quand il pleure? Écouté par un dieu? Sans doute, mais par les hommes?

Faust mourut. Faust ferma les yeux de son âme au moment où la violence du drame le consumait. Ses traits glissèrent de sa peau cédant la place au masque de la mort. Et pour la première fois, Faust cessa de murmurer pendant son sommeil.

VI

Oublié, Patrice n'arrivait pas à vivre sur le même rythme que tous les autres idiots. Un rêve du passé le dévorait vivant: «Ma mère, son épaule.»

Il avait perdu cette sécurité. Personne ne se préoccupait de sa douleur, pas même ce vieillard qui traversait patiemment la cour, ni les hommes qui avaient transporté le cercueil de Faust sur leurs épaules. D'ailleurs, le vieillard ne marchait que pour lui-même. Les idiots s'en vont toujours à la recherche de leur âme.

Patrice était définitivement seul. Il se mordait les lèvres et souvent des convulsions l'ébranlaient, comme le jour où il avait trempé sa tête dans l'eau maléfique. Ses muscles étaient dévorés d'énergie et à travers tant de visions, il tendait les bras vers un lac vide.

La mort de Faust l'ayant profondément endolori, Patrice cherchait partout son odeur, ses rires, ses gestes, ainsi que son instinct avait poursuivi les parfums de sa mère. Las de ne rien trouver, il grattait mélancoliquement les murs de ses mains tourmentées. Soudain une toile d'araignée glissa sur son bras. Patrice la posa contre sa joue et s'endormit.

À l'aube, Patrice vit l'araignée qui travaillait à une étoile de sang sur son bras. Qu'était cette mince et pourtant laborieuse goutte de sang quand une mer de sang inondait le corps de Patrice?

Cette mer empourprée ne sortait jamais de lui, elle l'étreignait de toutes parts.

Fuyant les autres, Patrice contemplait l'araignée. Dans l'effroi de la perdre, il lui réservait un seul côté du mur. De plus, du fond de son gouffre intérieur, il entendait hurler la voix de sa mère.

— Mon grand, tu n'es pas prudent.

Toujours ému par le geste de l'épaule, il avait prêté la sienne à l'araignée:

— Personne ne te blessera, lui disait-il.

Mais l'araignée ne s'y plaisait pas. Elle voulait tous les murs, désirait y piquer des chapelles selon son art. Une nuit, la main de Patrice l'aplatit sans le vouloir, cette main d'homme à moitié enfant étouffa l'araignée d'un ongle froid.

Patrice n'avait plus rien.

— Je retournerai chez ma mère. J'irai voir mon visage dans le lac. Mon beau visage y est peut-être encore.

VII

Une femme et sa petite fille se hâtaient de marcher.

— Le train a des ailes à la place des roues, dit la petite fille.

Isabelle-Marie griffa la main osseuse d'Anne. Elle parla brusquement mais l'enfant apeurée ne l'entendit pas.

— Je n'aime pas les gares, dit Isabelle-Marie.

Isabelle-Marie portait fébrilement une lampe allumée qu'elle tendait au bout de son bras, au-dessus des champs brûlés par l'été.

Elles approchèrent des fermes de Louise.

Isabelle-Marie grelotta.

— Mère, ta main est un peu fatiguée, je crois. Je vais porter la lampe si tu veux.

— Tais-toi, trancha Isabelle-Marie.

— Si tu la répandais dans le blé, tout brûlerait. Tu te souviens, quand j'avais essayé pour rire? J'avais brûlé ma jambe et j'en avais crié toute la nuit.

— Je ne me rappelle pas. Tu devais être bien petite.

Elles arrivèrent. Isabelle-Marie distingua la silhouette souffreteuse de Louise à travers les persiennes. Les lueurs du miroir l'inclinaient.

— Ne fais pas de bruit, Anne.

— Oh! reprit Anne, elle sera si heureuse de nous revoir, ta maman. Elle m'a déjà dit que j'étais belle.

— Tais-toi.

L'enfant sautait sur un pied, versant sur l'autre, rieuse et squelettique.

— Elle va me serrer bien fort dans ses bras. Je ne serai plus triste.

Isabelle-Marie cacha l'enfant dans sa robe. En se collant au mur de la maison, elle surprenait sa mère, plus cancéreuse que jamais, au plus repoussant de sa maladie. Agenouillée devant son miroir, Louise regardait sa joue pourrie.

Elle était effrayamment maigre.

— Un peu plus et elle me ressemblerait, pensa Isabelle-Marie.

Louise portait ses mains à son front décharné. Jadis sa chair était blanche et pure. Le miroir lui imposait une dame mauve, veinée de noir.

— J'ai froid, soupira la petite fille.

— Silence.

Isabelle-Marie moucha le visage de sa fille d'une main vive, alerte à blesser. Anne n'avait jamais vu un tel sourire aux lèvres de sa mère, un sourire ardent, plein de salive et de sang. Autrefois, c'est ainsi que cette femme avait souri, plongeant la tête de son frère dans le feu.

— Pourquoi me regardes-tu ainsi, Anne?

Vite Isabelle-Marie pointa le front, serrant sa fille à la rompre. Puis elle baissa la lampe jusqu'à son genou.

— J'ai froid, dit Anne.

Isabelle-Marie voyait toujours sa mère pendue au miroir.

— Elle est toute mangée. J'arrive juste pour la voir lutter, elle qui n'a jamais su lutter que pour elle-même.

À ce même moment, Louise pensait: «Je ne mourrai pas, je ne mourrai pas.» Elle vint s'appuyer à la fenêtre comme «au temps de son fils» et détailla d'un regard ténébreux tous ses champs, ses granges debout comme des ventres d'or.

— Bien sûr, je suis riche.

Mais sa vieille bouche nageait dans le pus.

Isabelle-Marie la vit ainsi, la jugea, cette mère qui n'était pas même femme. Celle qui l'avait meurtrie depuis son enfance comme un infatigable bourreau.

— Retournons, j'ai si froid.

Isabelle-Marie souriait, regard clos, indifférente et cruelle.

VIII

Isabelle-Marie fit éclater la lampe dans les gerbes les plus sèches. Elle croyait tuer la terre de Louise mais elle comprit soudain qu'elle tuait la terre de Dieu. Une terreur lui monta à la face. La honte aussi. Tout s'enflamma aussitôt et elle resta un moment près des gigantesques brasiers, veule, désabusée.

Enfin, elle s'enfuit rejoindre sa fille qui l'avait devancée tandis que tout s'empourprait derrière elle dans une clameur d'apocalypse.

Subitement alarmée par cette vision d'enfer, Louise se demanda si elle n'était pas déjà la proie de l'agonie. Elle criait, elle souffrait de tout son corps.

— Mes fermes, mes fermes qui brûlent!

Elle souffrait trop pour rêver. Elle toucha son front. Elle ouvrit des yeux lourds sur son monde

en décomposition. Les ruines flambantes s'élan-
çaient de partout: elle assistait à cet horrible jeu de
vipères rouges sur ses propriétés.

C'était sa «fin des temps».

Chaque fois qu'un homme meurt, c'est pour
lui la fin du monde et le jugement dernier.

— Grand Dieu, implorait Louise, à genoux,
pitié!

Mais son miroir ne bougeait pas.

Étouffée par les flammes, Louise crut entendre au loin le ricanement triste de sa fille. N'ayant
plus que ses os à offrir aux morsures du feu, elle
s'évanouit comme une danseuse à la fin d'un ballet.

Isabelle-Marie respira: «Tout est fini! Sauf
moi!»

Son instinct destructeur n'était pas assouvi.
Elle marcha plus vite, tremblante. Un moment, elle
regretta de n'avoir point donné autant qu'elle avait
détruit. Le train venait. Repoussant la jeune Anne,
elle marcha jusqu'au rail, palpitant de frayeur.

* * *

S'évadant, Patrice retourna dans son village.

— Ma mère m'attend. Elle ouvrira les portes
de la chambre. Elle dira: «Mais où étais-tu donc,
Patrice?»

Et Patrice ne dirait rien. Il poserait sa tête contre l'épaule de Louise, et tous deux éclateraient en sanglots.

Patrice trouva des ruines qui n'avaient pas d'yeux ni de présence.

Il courut: «Là était la chambre de ma mère.»

Il lui parla à elle qui ne pouvait entendre.

Il effleura des cendres en marchant. Un monde de cendre et de morceaux de miroirs.

Au loin, le lac l'attendait.

— Le lac, mon beau visage!

Il s'agenouilla près de l'eau. L'eau avait pâli.

Il but avant de se regarder et, comme autrefois, le soleil envahit sa nuque.

Il cria soudain: «Que je suis laid!»

Alors, comme il ne lui restait plus rien au monde que l'eau, il y plongea sa tête et descendit, pour y chercher son beau visage d'autrefois.

Il était midi.

Dans le bleu du ciel qui succédait au bleu de l'eau, la Belle Bête retrouvait enfin son âme.

MISE EN PAGES ET TYPOGRAPHIE :
LES ÉDITIONS DU BORÉAL

CE QUATRIÈME TIRAGE A ÉTÉ ACHEVÉ D'IMPRIMER EN JANVIER 2003
SUR LES PRESSES DE L'IMPRIMERIE AGMV MARQUIS
À CAP-SAINT-IGNACE (QUÉBEC).